VAN
BEELD
WOORDENBOEK
OP REIS

NEDERLANDS

INHOUD

AANWIJZINGEN VOOR HET GEBRUIK VAN DIT WOORDENBOEK

Met 1.500 woorden bestrijkt dit naslagwerk alle terreinen van het dagelijks leven. Op deze pagina vind je de belangrijkste tips om zoveel mogelijk uit dit woordenboek te halen:

1. Snel de vertaling vinden

Het woordenboek is ingedeeld in negen centrale thema's uit het dagelijks leven. Of het nu om het huishouden gaat, om reizen of om werken: je hoeft alleen maar het betreffende hoofdstuk open te slaan, daar staan alle woorden die je nodig hebt op een rijtje. Zoek je een specifiek woord? Kijk dan achterin in de alfabetische index.

2. De belangrijkste zinnetjes

In de negen hoofdstukken vind je niet alleen een-op-eencombinaties van beeld en woord, maar ook de meest gebruikte zinnetjes in een bepaalde context.

3. In noodgevallen

Weet je even niet hoe je iets moet zeggen, wijs dan gewoon het plaatje aan waarop staat afgebeeld wat je bedoelt. De afbeeldingen zorgen ervoor dat je zonder taal duidelijk kunt maken wat je wilt zeggen – waar ook ter wereld.

Goed om te weten

De woorden in dit woordenboek staan altijd in het enkelvoud, tenzij ze alleen in het meervoud worden gebruikt. Nederlandse meervoudsvormen zijn aangegeven met de afkorting (mv).

Het liefst hadden we bij elke beroeps- en functieaanduiding zowel de vrouwelijke als de mannelijke variant opgegeven. Door ruimtegebrek was dit echter niet mogelijk. Waar een keuze noodzakelijk was, heeft het geslacht van de afgebeelde persoon de doorslag gegeven.

FAMILIE EN VRIENDSCHAP

DE FAMILIE

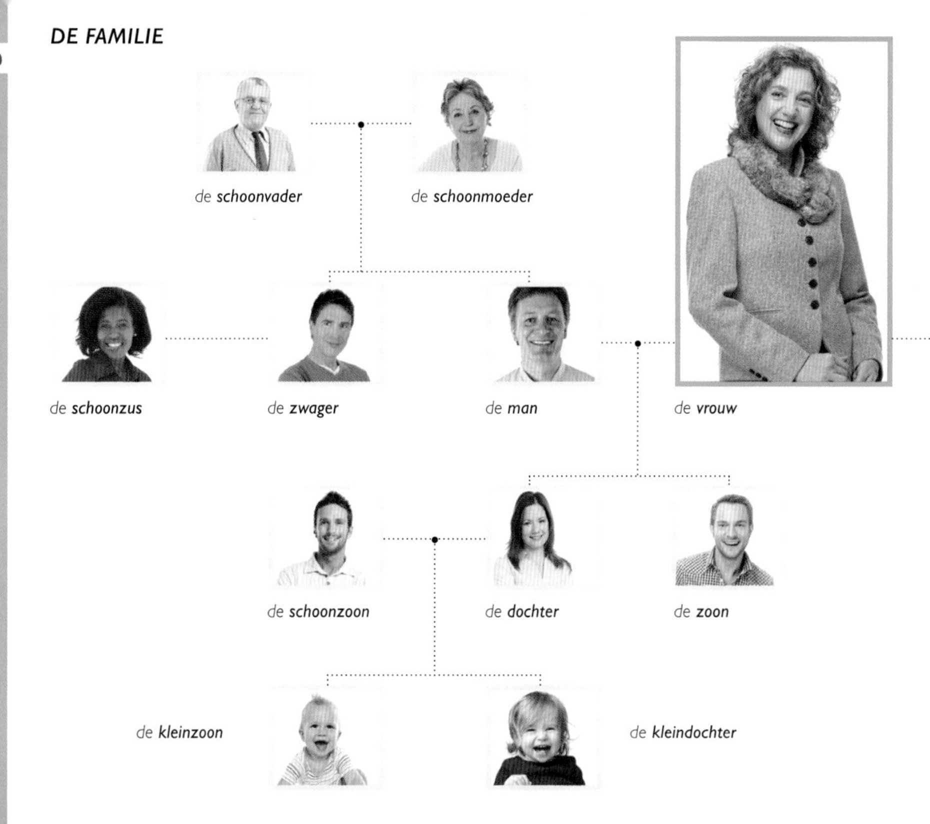
de schoonvader
de schoonmoeder
de schoonzus
de zwager
de man
de vrouw
de schoonzoon
de dochter
de zoon
de kleinzoon
de kleindochter

DE FAMILIE

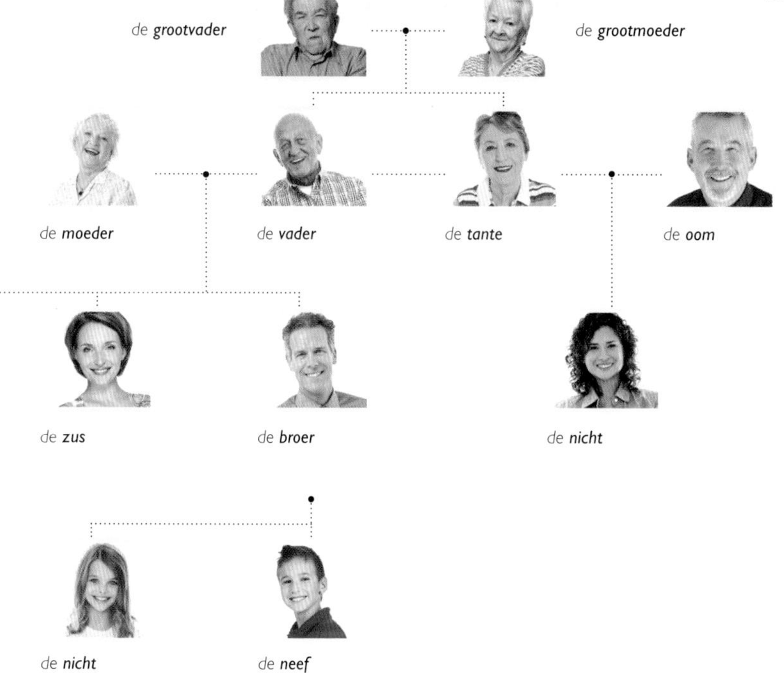
de *grootvader*
de *grootmoeder*
de *moeder*
de *vader*
de *tante*
de *oom*
de *zus*
de *broer*
de *nicht*
de *nicht*
de *neef*

RELATIES

de *baby*

het *kind*

de *vrouw*

Mevrouw

de *jongere*

de *tweeling*

het *stel*

de *vriendin*

de *vriend*

het *familielid*

de (mv) *grootouders*

de (mv) *ouders*

het *echtpaar*

ongehuwd

gehuwd

gescheiden

weduwnaar/weduwe

familie

Meneer

de *man*

de *jongen*

het *meisje*

de (mv) *vrienden*

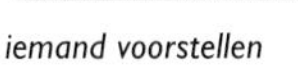

iemand voorstellen

iemand begroeten

elkaar een hand geven

een buiging maken

elkaar omhelzen

de *bekende*

de (mv) **broer(s) en zus(sen)**

de **peetoom**

de **peettante**

de **stiefvader**

de **stiefmoeder**

de **stiefbroer**

de **stiefzus**

de **buurman**

de **buurvrouw**

RELATIES

iemand een zoen geven

afscheid nemen

zwaaien

lachen

huilen

iemand bellen

het ***cadeautje***

de ***bruiloft***

de ***verjaardag***

Hallo!

Goedendag!

Goedemorgen!

Goedenavond!

Hoe heet je?

Hoe heet u?

Ik heet …

Van harte welkom!

Dag!

Tot ziens!

WONING EN HUISHOUDEN

DE WONING

het ***vrijstaand huis***

de ***meergezinswoning***

de ***brievenbus***

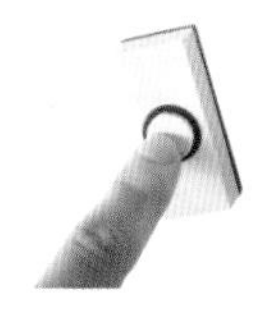

de ***deurbel***

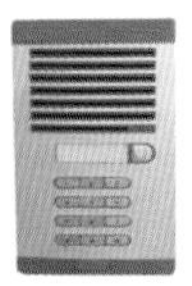

de ***intercom***

het ***huisnummer***

de ***huissleutel***

het ***deurslot***

de ***deurmat***

de ***koopwoning***

de ***huurwoning***

de ***binnenplaats***

het ***eigendom***

het ***perceel***

de ***verbouwing***

de ***aanbouw***

te koop

de ***huismeester***

de ***zolder***

de ***kelder***

de ***gang***

de ***lift***

de ***garage***

de ***rookmelder***

het ***trappenhuis***

huren

de ***huur***

verhuren

de ***verhuurder***

de ***verhuurster***

de ***huurder***

de ***huurster***

de ***borgsom***

het ***huurcontract***

HET HUIS

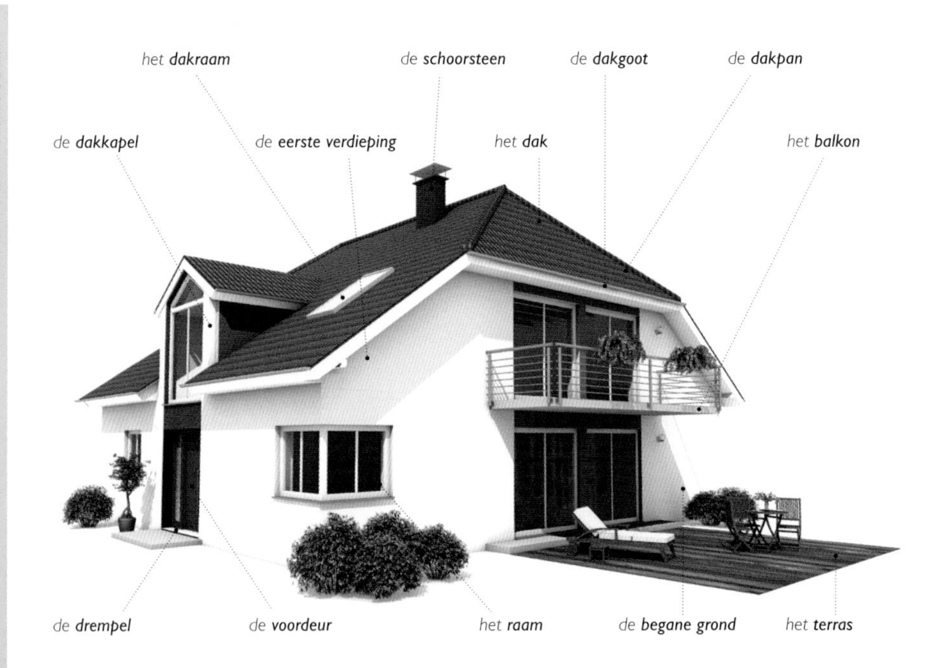
het dakraam
de schoorsteen
de dakgoot
de dakpan
de dakkapel
de eerste verdieping
het dak
het balkon
de drempel
de voordeur
het raam
de begane grond
het terras

het **sleutelrekje**

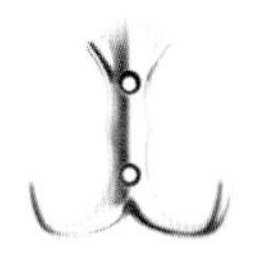
het **kledinghaakje**

de **kleerhanger**

de **schoenlepel**

de **boekenkast**

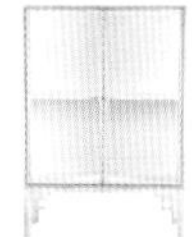
de **vitrine**

het **televisiemeubel**

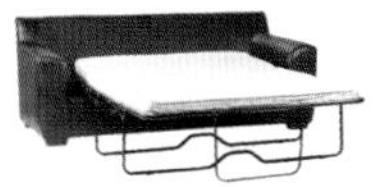
de **slaapbank**

de **bloemenvaas**

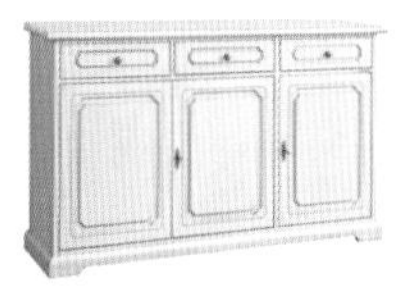
het **buffet**

de **kinderstoel**

de **wandklok**

DE WOONKAMER

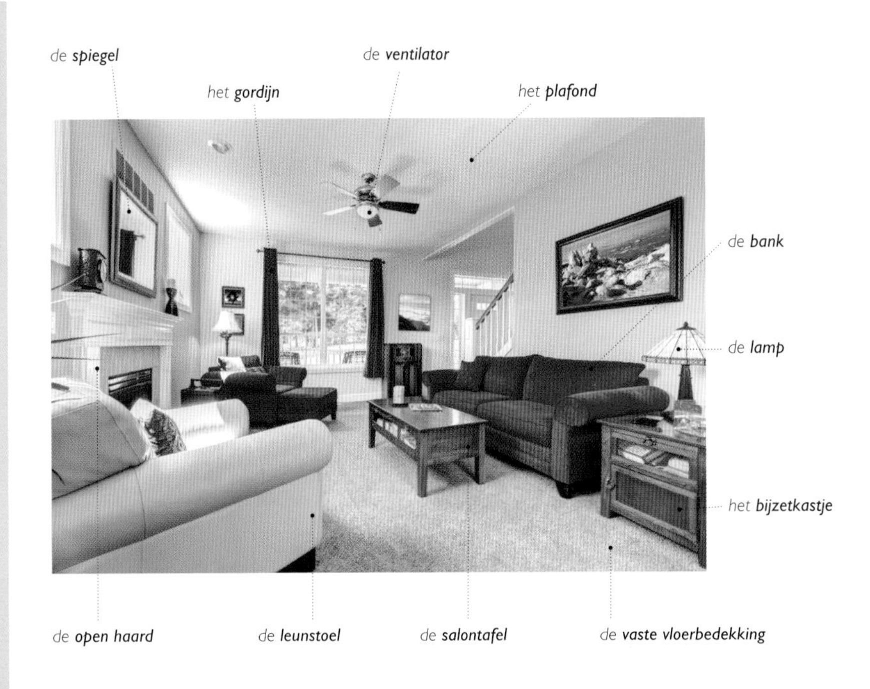

het *rolgordijn*
de *kroonluchter*
de *tafeldecoratie*
de *kaars*
de *kamerplant*
de *vensterbank*
de *eettafel*
de *tafelloper*
de *stoel*
de *vitrine*
de *houten vloer*

DE KEUKEN

de *inbouwkeuken*
de *vaatwasser*
het *aanrecht*
het *hangend keukenkastje*
de *afzuigkap*
het *fornuis*
de *oven*
de *gootsteen*
de *keukenkruk*
de *la*
de *diepvriezer*
de *koelkast*

de *magnetron*

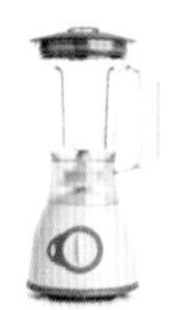
de *blender*

de *keukenmachine*

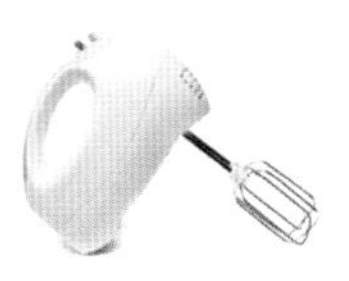
de *handmixer*

de *waterkoker*

de/het *broodrooster*

de *keukenweegschaal*

de *rijstkoker*

de *koffiemachine*

de *keukenrol*

de/het *schort*

het *bakblik*

DE KEUKEN

het *dienblad*

de *ovenwant*

de *schiller*

de *snijplank*

het *keukenmes*

de *zeef*

de *blikopener*

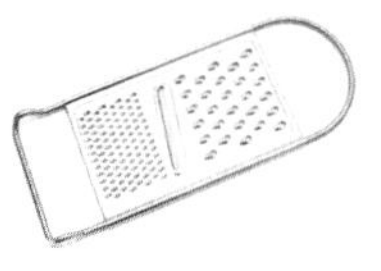

de *rasp*

de *pollepel*

de *koekenpan*

de *wok*

de *kookpan*

het **tweepersoonsbed**
het **hoofdkussen**
het/de **kussensloop**
het **bedlampje**
de **ladekast**
het **dekbed**
het **laken**
het **tapijt**
de **poef**
de/het **matras**
het **nachtkastje**

DE KINDERKAMER

de *bal*

de *pop*

de *luiertas*

de *kinderwagen*

de *babyfoon*

de *box*

het *potje*

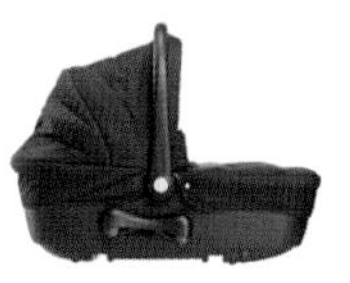
de *reiswieg*

de *schooltas*

het *bouwblokje*

de *babyslaapzak*

de *rammelaar*

DE BADKAMER

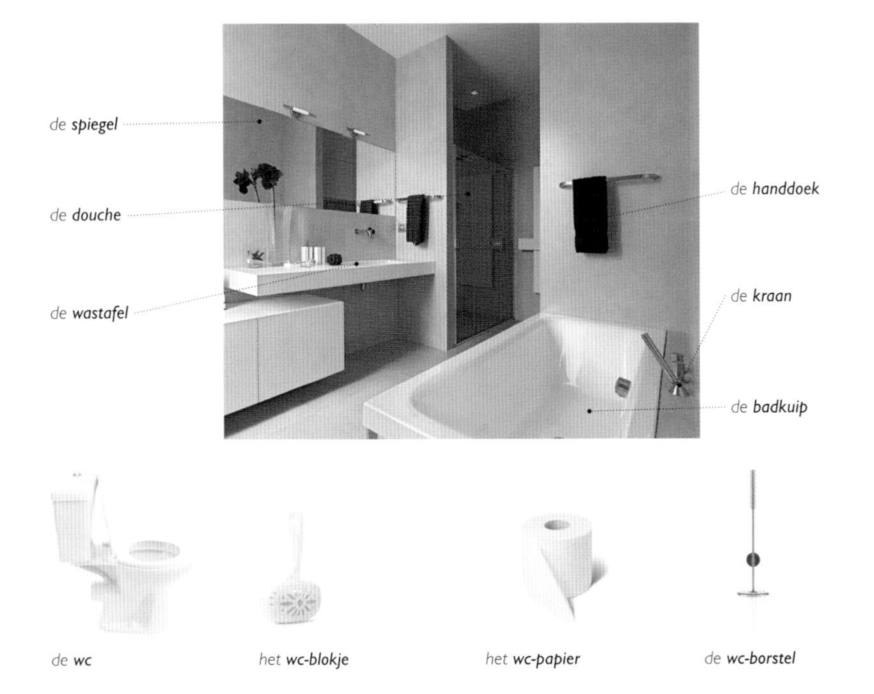
de spiegel
de douche
de wastafel
de handdoek
de kraan
de badkuip
de wc
het wc-blokje
het wc-papier
de wc-borstel

DE WASRUIMTE

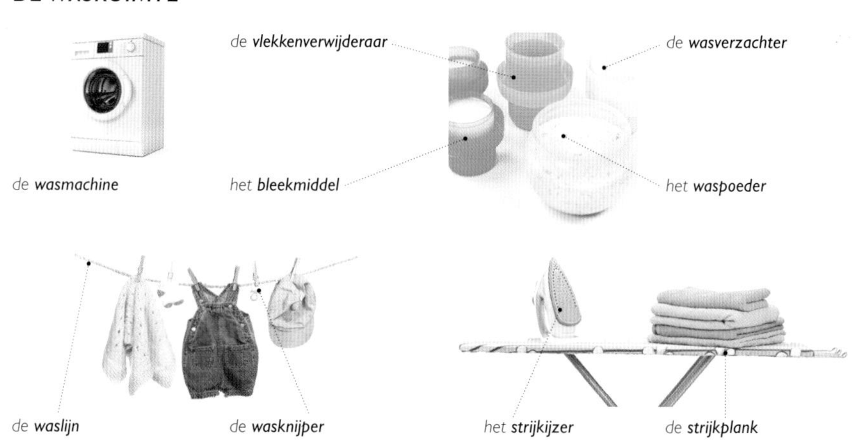

de **wasmachine vullen**

de **was doen**

de **was centrifugeren**

het **droogrek**

de **wasdroger**

de **wasmand**

de was te drogen hangen

strijken

SCHOONMAAKARTIKELEN

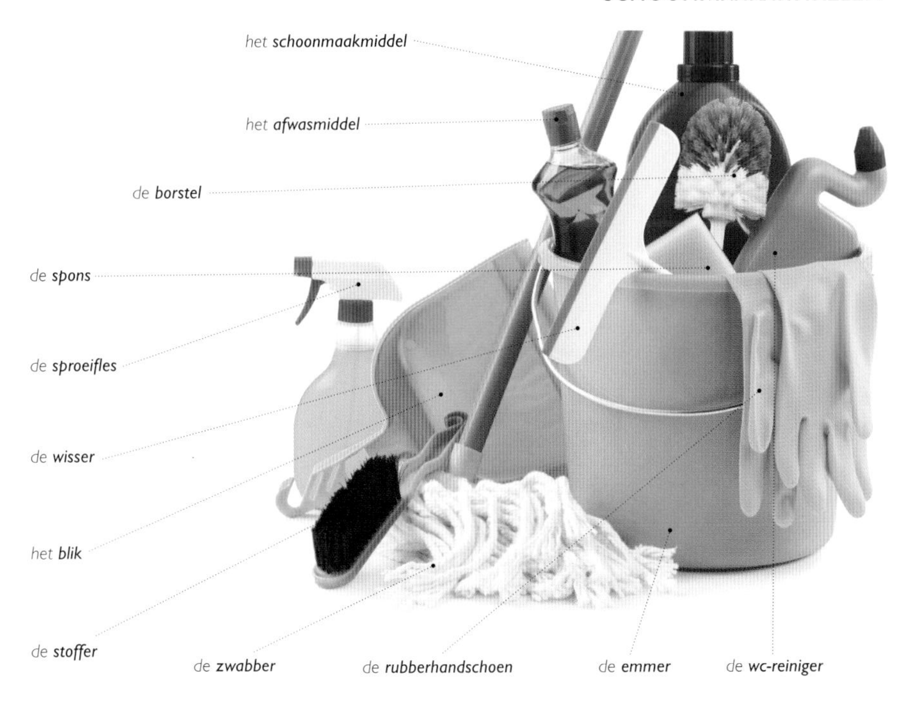

DE WERKPLAATS

de ***handzaag***

het ***schuurpapier***

het ***tapijtmes***

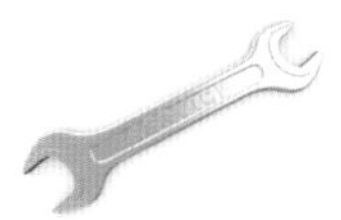

de ***moersleutel***

de ***rolmaat***

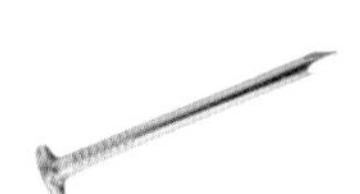

de ***spijker***

de ***hamer***

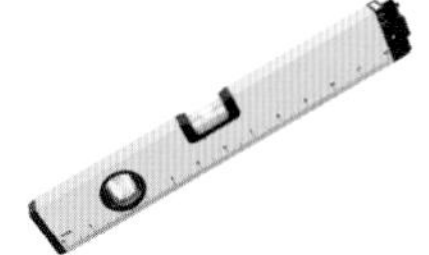

de ***waterpas***

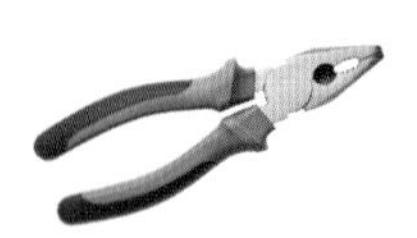

de ***combinatietang***

de ***schroevendraaier***

de ***schroef***

de ***moer***

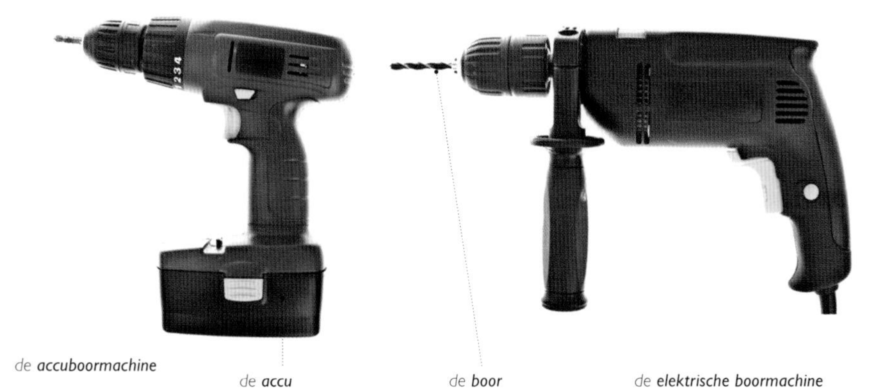

de *accuboormachine*

de *accu*

de *boor*

de *elektrische boormachine*

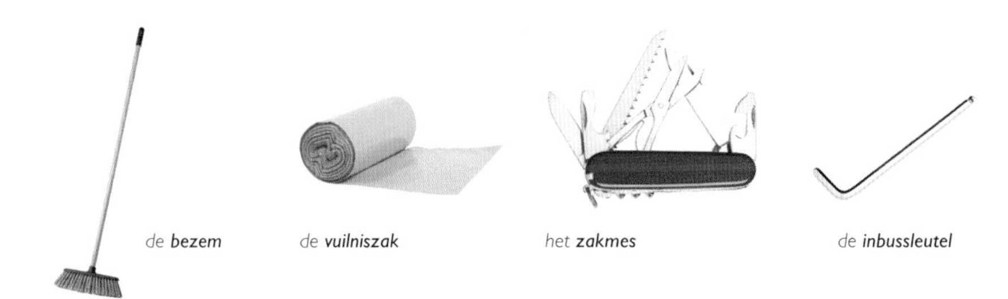

de *bezem*

de *vuilniszak*

het *zakmes*

de *inbussleutel*

DE WERKPLAATS

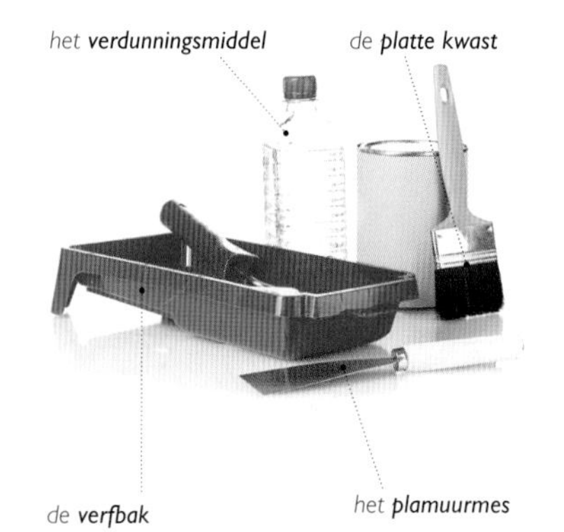

het **verdunningsmiddel**

de **platte kwast**

de **verfbak**

het **plamuurmes**

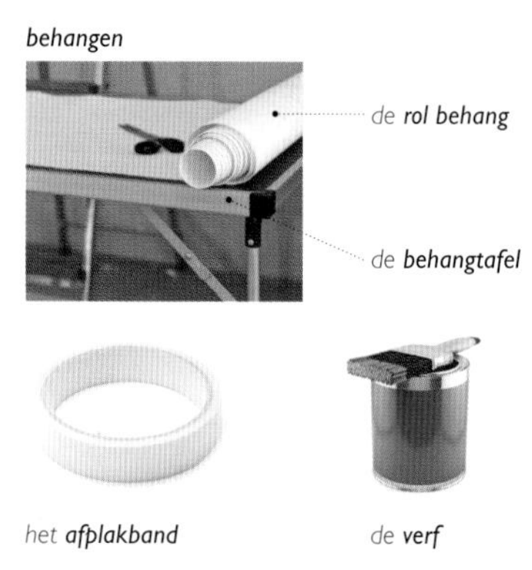

behangen

de **rol behang**

de **behangtafel**

het **afplakband**

de **verf**

de **gereedschapskist**

betegelen

bepleisteren

plamuren

het **behang verwijderen**

het/de **afdekfolie**

het/de **plamuur**

het **oplosmiddel**

het **voegmiddel**

de *radiator*

het *stopcontact*

de *stekker*

het *verlengsnoer*

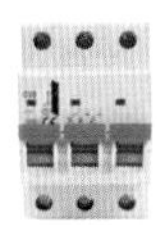
de *zekering*

de *elektriciteitsmeter*

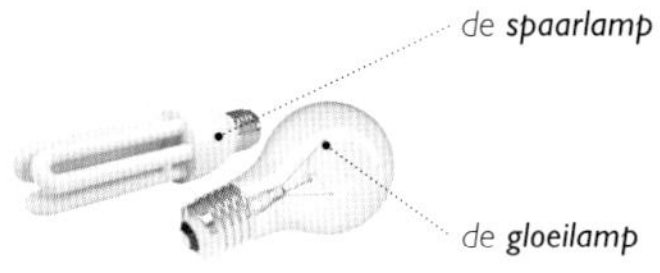
de *spaarlamp*
de *gloeilamp*

de *verwarming aanzetten/uitzetten*
de *zonneverwarming*
de *centrale verwarming*
de *vloerverwarming*
de *groepenkast*
de *leiding*
de *adapter*

de *schakelaar*
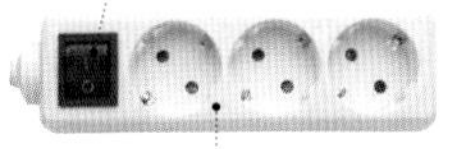
de *stekkerdoos*

DE TUIN

de *tuinslang*

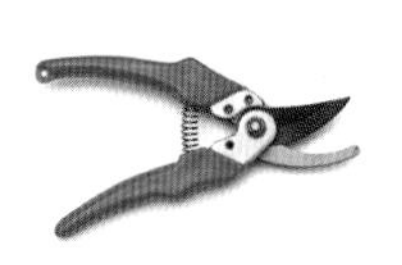

de *rozenschaar*

de *schop*

de *hark*

de *grasmaaier*

de *kruiwagen*

het *gras maaien*

onkruid wieden

terugsnoeien

bemesten
oogsten
kweken
stekken
gieten
de *zaailing*
de *mest*
de *onkruidverdelger*

WEG- EN SPOORVERKEER

WEGEN EN VERKEER

① de **straatlantaarn**

② het **voetgangerslicht**

③ het **trottoir**

④ het **verkeerslicht**

⑤ de **rijbaan**

de **tunnel**

het **zebrapad**

de **brug**

de **rotonde**

de *snelweg*

① de *middenberm*

② de *inhaalstrook*

③ het *viaduct*

④ de *onderdoorgang*

⑤ de *oprit*

⑥ de *afrit*

de *kruising*

de *voorrang*

de *snelheidsovertreding*

stoppen

de *vluchtstrook*

de *verzorgingsplaats*

het *afstandsbord*

achteruitrijden

de *file*

WEGEN EN VERKEER

verboden in te rijden

verboden stil te staan

rechts afslaan verboden

links afslaan verboden

verboden te keren

het ***werk in uitvoering***

de *(mv)* ***tegenliggers***

de ***gevaarlijke daling***

de ***ijzel of sneeuw***

de ***maximumsnelheid***

voorrang verlenen!

de ***eenrichtingsweg***

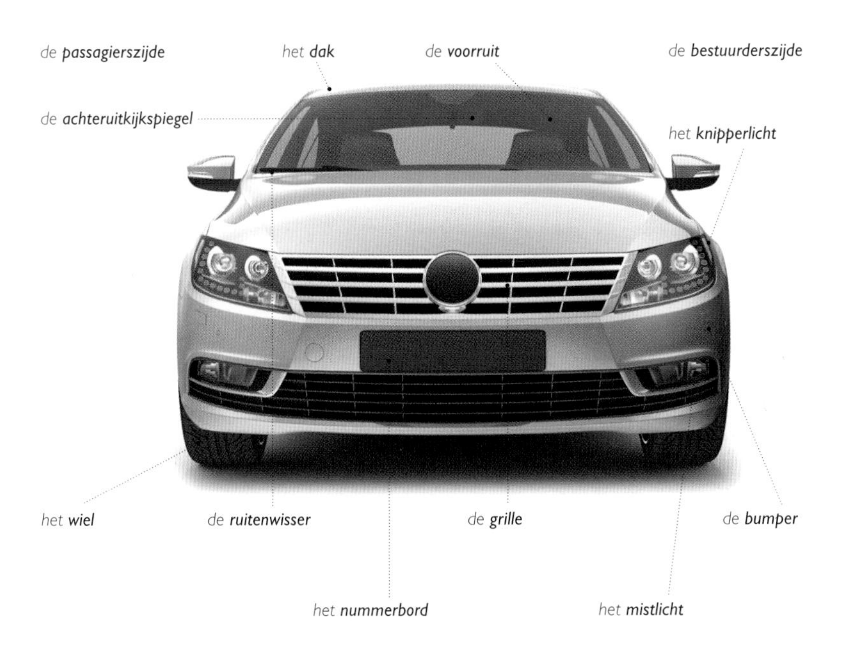
de passagierszijde
het dak
de voorruit
de bestuurderszijde
de achteruitkijkspiegel
het knipperlicht
het wiel
de ruitenwisser
de grille
de bumper
het nummerbord
het mistlicht

DE AUTO

① de *motorkap* ② de *buitenspiegel* ③ het *portier* ④ de *wieldop*

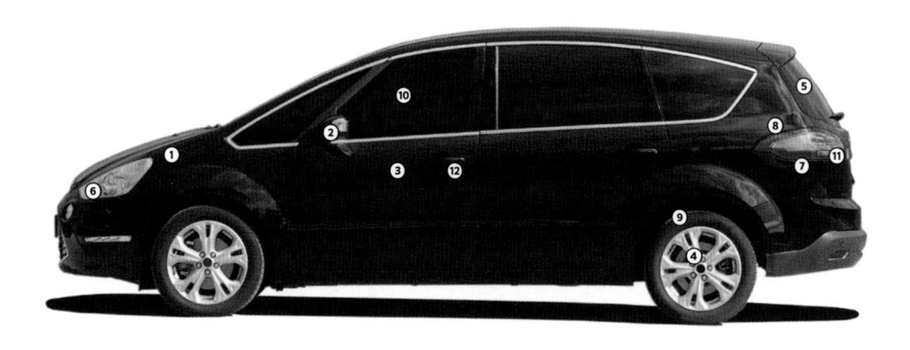

⑤ de *kofferbak* ⑥ de *koplamp* ⑦ het *remlicht* ⑧ het *achterlicht*

⑨ de *band* ⑩ het *zijraam* ⑪ het *achteruitrijlicht* ⑫ de *klink*

① de *buitenspiegel* ② het *dashboard*

③ het *dashboardkastje*

④ de *bijrijdersstoel*

⑤ de *versnellingspook*

⑥ de *handrem*

⑦ de *bestuurdersstoel*

⑧ het *stuur*

de **voetsteun**

het/de **koppelingspedaal**

het/de **rempedaal**

het/de **gaspedaal**

de **veiligheidsgordel**

de **hoofdsteun**

de **airbag**

de **claxon**

de **knipperlichtschakelaar**

DE AUTO

tanken

de motor
de benzinetank
de versnellingsbak
de radiateur
de ventilator
de accu
de knaldemper
de uitlaat

de **band verwisselen**

de **wielmoersleutel**

het **reservewiel**

de **bandenpech**

het **verkeersongeval**

Ik heb motorpech.

Kunt u de Wegenwacht bellen?

Hij wil niet starten.

de **startkabel**

Kunt u me helpen de auto te starten?

de **reserveband**

Kunt u me helpen bij het verwisselen van de band?

DE BUS

de **touringcar** het **bagagecompartiment**

de **dienstregeling**

de **bushalte** het **wachthuisje**

de **stopknop**

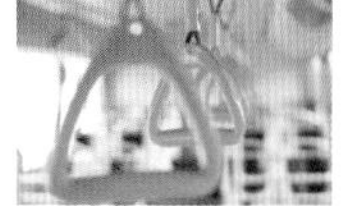

de **lus**

de **schoolbus**

de **lagevloerbus**
het **busstation**
de **lijnbus**
de **minibus**
de **maandkaart**
de **ritprijs**
het **buskaartje**
de **kaartjesautomaat**

DE FIETS

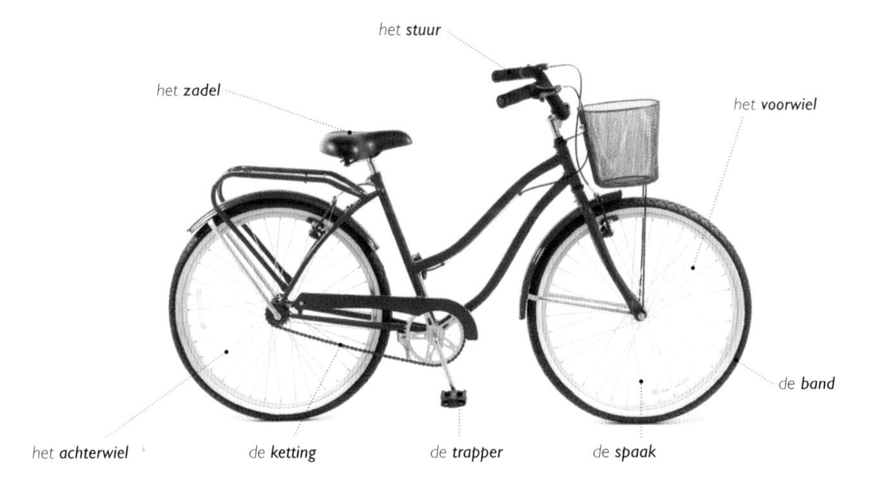

de **versnellingshendel**

de **remgreep**

de **pomp**

de **fietshelm**

remmen

een fietsband plakken

het **fietsslot**

DE TREIN

de ***trein***

het ***perron***

instappen

uitstappen

het ***spoornummer***

de ***roltrap***

de ***metro***

de ***vertraging***

op tijd

overstappen

de ***tram***

de ***stoelreservering***

Een enkele reis naar …, alstublieft.

retour

Is deze plaats vrij?

ETEN EN DRINKEN

DIERLIJKE PRODUCTEN

het ***lamsvlees***

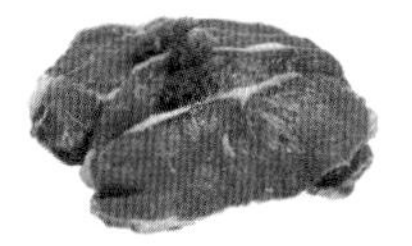

het ***rundvlees***

het ***varkensvlees***

de ***kip***

de ***forel***

de ***tonijn***

de ***zalm***

de ***vissteak***

de ***garnaal***

de ***zeekreeft***

de ***krab***

de ***mossel***

het kippenei
het eiwit
de dooier
de boter
de melk
de room
de kaas
de kwark
de yoghurt

GROENTEN

de **ui**

het **radijsje**

de **lente-ui**

de **prei**

de kropsla
de ijsbergsla
de witlof
de spinazie

de savooiekool
de broccoli
de rodekool
de wittekool
het spruitje
de bloemkool

GROENTEN

de *paprika*

de *courgette*

de *aubergine*

de *tomaat*

de *okra*

de *Spaanse peper*

de *mais*

de *sperzieboon*

de *bruine linze*

schillen

snijden

rauw

gekookt

gegaard

de *puree*

gepureerd

bakken

FRUIT

de *aardbei*

de *braam*

de *framboos*

de *blauwe bes*

de *druif*

de *kers*

de *appel*

de *abrikoos*

de *perzik*

de *nectarine*

de *pruim*

de *peer*

FRUIT

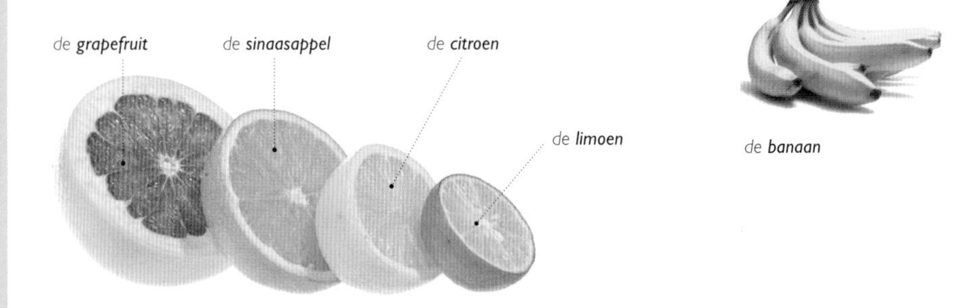
de grapefruit
de sinaasappel
de citroen
de limoen
de banaan

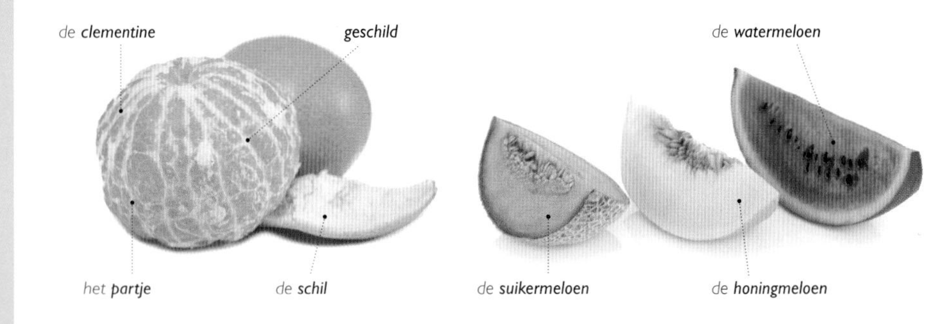
de clementine
geschild
de watermeloen
het partje
de schil
de suikermeloen
de honingmeloen

de *azijn*

de *olijfolie*

de *pepermolen*

de *ketchup*

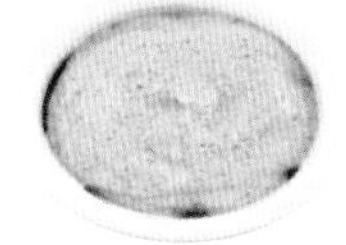

de *mosterd*

de *mayonaise*

de *sojasaus*

BROOD

het **tarwemeel**

de **croissant**

het **stokbrood**

het **witbrood**

het **volkorenbrood**

het **Turks brood**

de **tortilla**

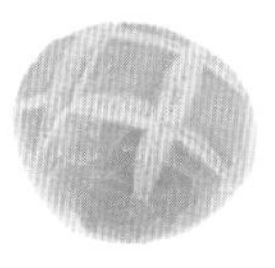
het **broodje**

de **bagel**

het **belegd broodje**

de **snee**

de **sandwich**

het **water**

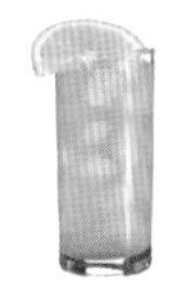
het **sinaasappelsap**

de **cola**

het **bier**

de **rode wijn**

de **witte wijn**

de **kruidenthee**

de **koffie**

de **koffie om mee te nemen**

de **beker**
de/het **deksel**

het **theezakje**
de (mv) **theeblaadjes**

DE SNELLE HAP

de (mv) ***chips***

de ***chocoladereep***

de ***hamburger***

de ***patat***

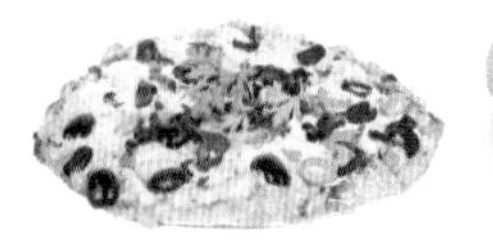

de ***pizza***

de ***taco***

de (mv) ***gefrituurde noedels***

de ***sushi***

de ***nugget***

Ik wil graag iets bestellen om mee te nemen.

klein/middelgroot/groot

zoet

zout

de ***bezorging aan huis***

bestellen

bezorgen

de **soep**

het **eenpansgerecht**

de **salade**

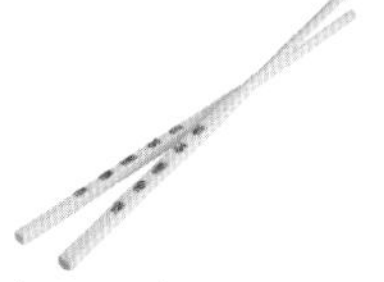

het **eetstokje**

DE VOEDING

het **vet**

de **suiker**

vegetarisch

veganistisch

zonder eieren

suikervrij

glutenvrij

lactosevrij

het **dieet**

de **voedselallergie**
de **fructose**
de **glucose**
het **natrium**
de (mv) **calorieën**
de **smaakversterker**
de **gezonde voeding**
vasten

de **kassier**

de **klant**

de **koopwaar**

de **kassaband**

het **schap**

het **winkelwagentje**

de **kassa**

de **scanner**

het **winkelmandje**

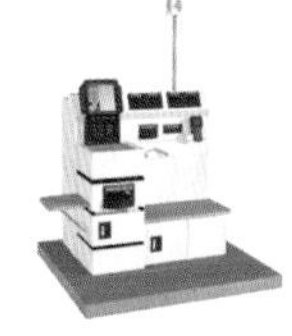

de **zelfbedieningskassa**

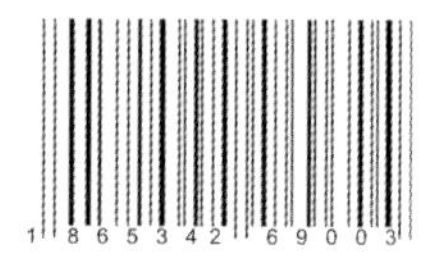

de **streepjescode**

de **speciale aanbieding**

DE SUPERMARKT

de ***afdeling groente en fruit***

de ***koeling***

de (mv) ***zuivelproducten***

de (mv) ***diepvriesartikelen***

het ***brood en banket***

het ***vlees en gevogelte***

de (mv) ***conserven***

de (mv) ***delicatessen***

de ***visafdeling***

de ***ontbijtgranen***

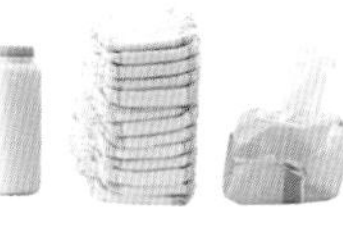

de (mv) ***babyartikelen***

de ***kassabon***

GEZONDHEID EN LICHAAMSVERZORGING

HET LICHAAM

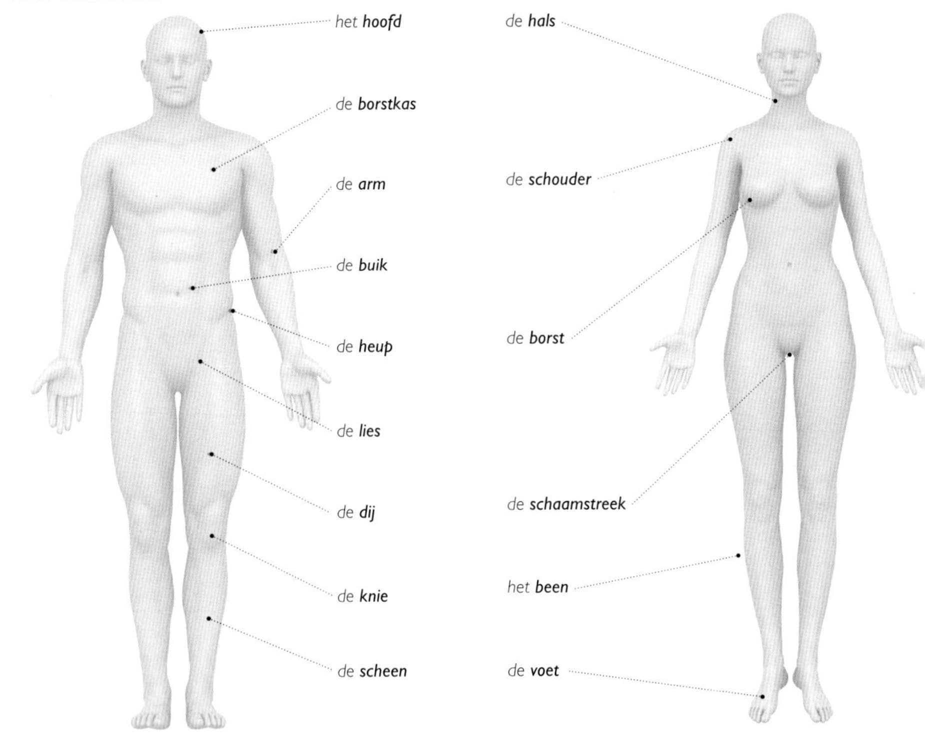
het hoofd
de borstkas
de arm
de buik
de heup
de lies
de dij
de knie
de scheen
de hals
de schouder
de borst
de schaamstreek
het been
de voet

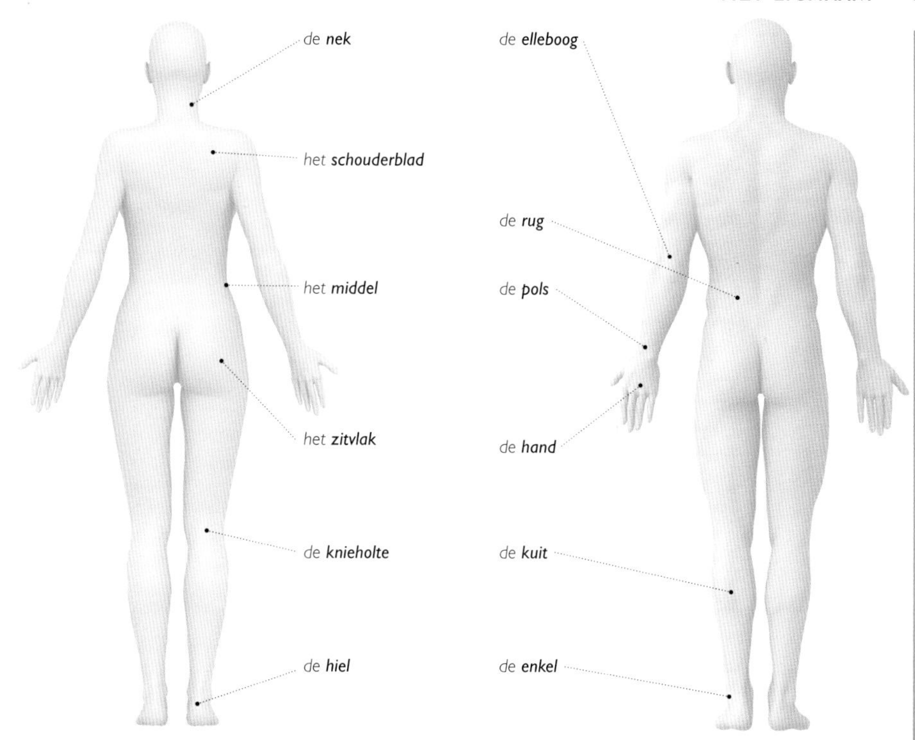
de nek
het schouderblad
het middel
het zitvlak
de knieholte
de hiel
de elleboog
de rug
de pols
de hand
de kuit
de enkel

DE HAND EN DE VOET

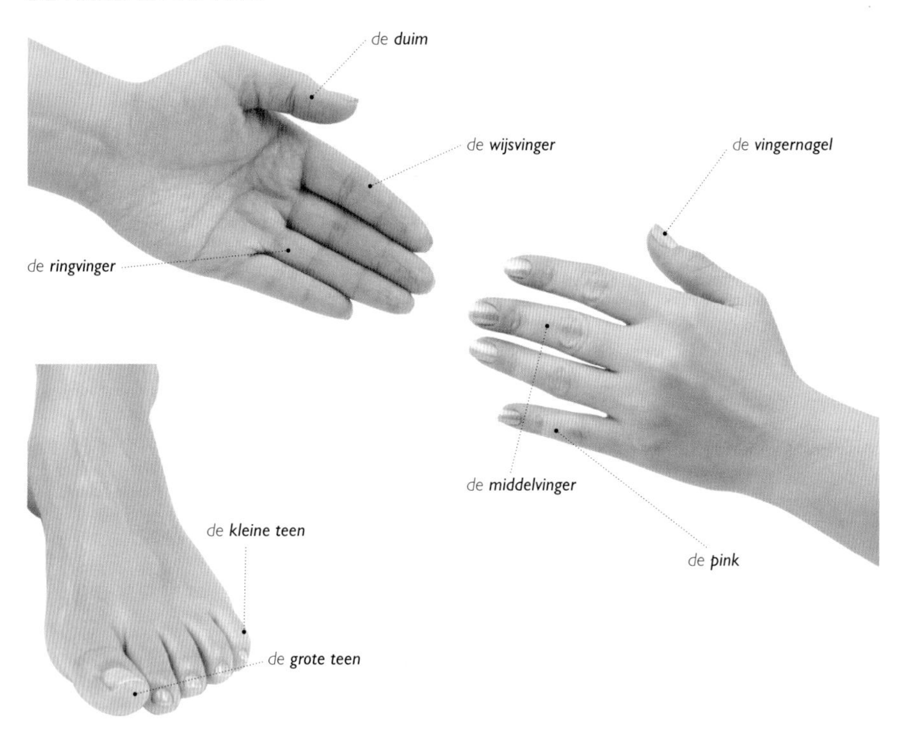

HET GEZICHT

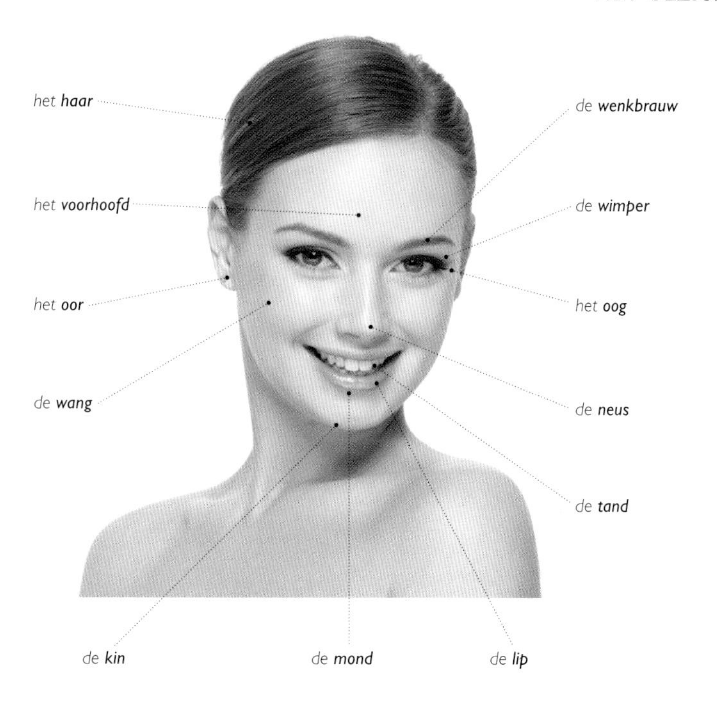
het haar
het voorhoofd
het oor
de wang
de wenkbrauw
de wimper
het oog
de neus
de tand
de kin
de mond
de lip

DE INWENDIGE ORGANEN

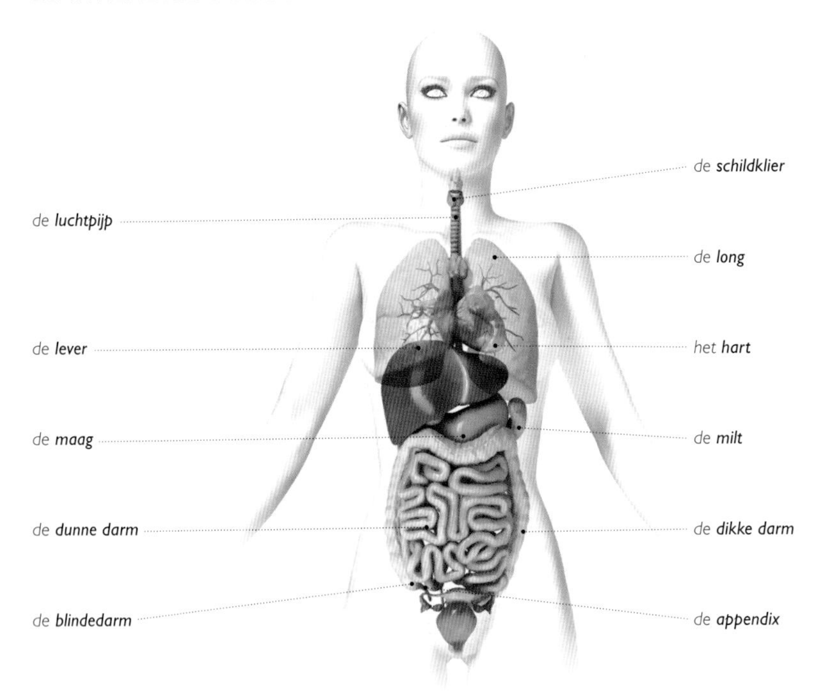

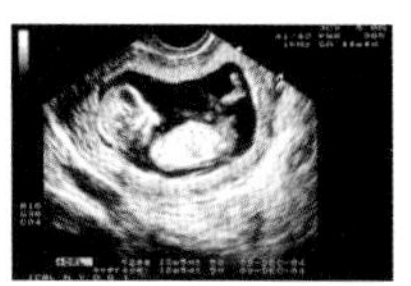

de **echo**

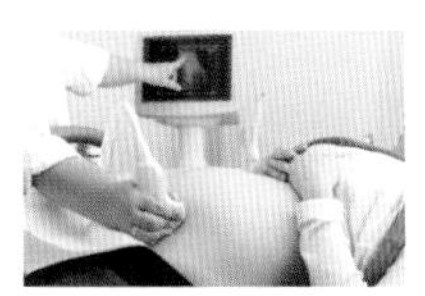

de **echoscopie**

de **vroedvrouw**

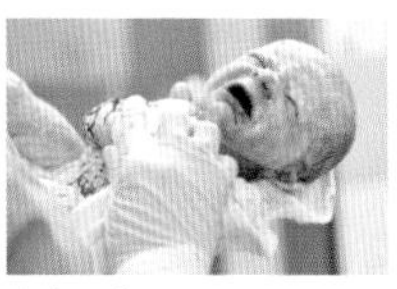

de **bevalling**

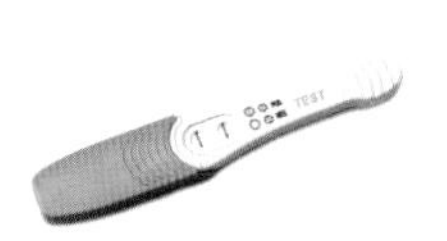

de **zwangerschapstest**

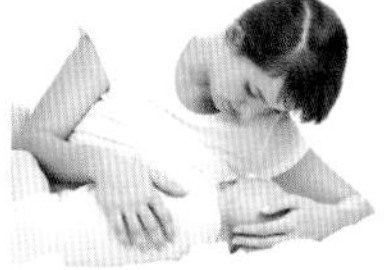

borstvoeding geven

de **fles**

het **melkpoeder**

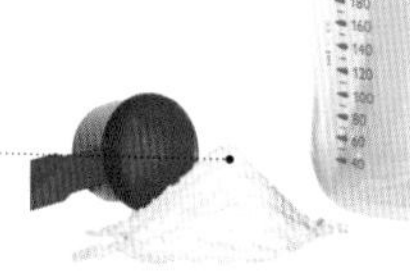

in verwachting

de (mv) **weeën**

de **bevalling inleiden**

persen

de **navelstreng**

de **moederkoek**

het **vruchtwater**

de **vruchtblaas**

BIJ DE DOKTER

het ***recept***

de ***wachtkamer***

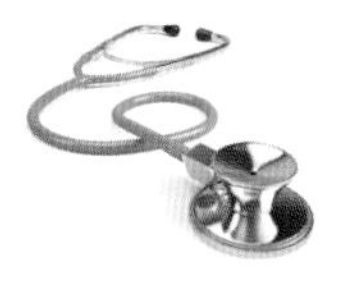

de ***stethoscoop***

de ***bloeddruk meten***

de ***dokter***

de ***patiënte***

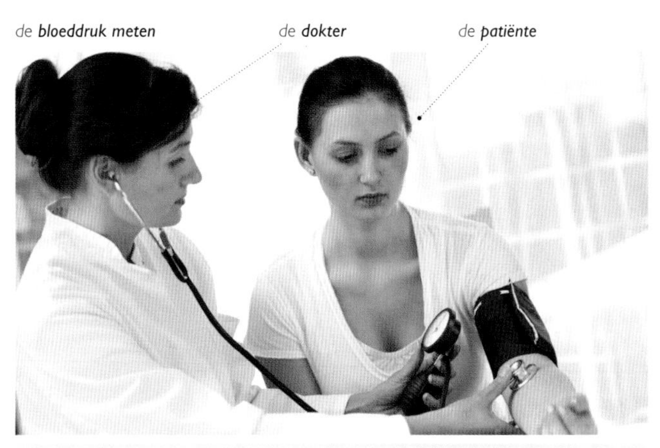

het ***spreekuur***

bloed afnemen bij iemand

de ***afspraak***

de ***behandeling***

de ***diagnose***

de ***verwijzing***

de ***uitslag***

de ***zorgverzekering***

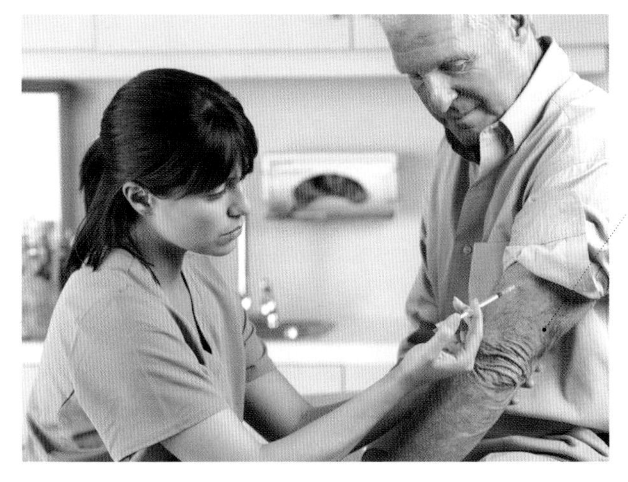

iemand een injectie geven

een injectie krijgen

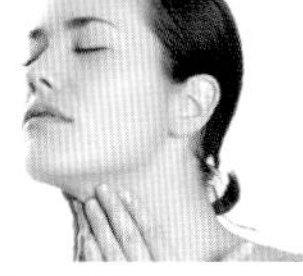

de ***keelpijn***

het ***virus***

de ***infectie***

de ***allergie***

de ***huiduitslag***

de ***diarree***

de ***duizeligheid***

de ***misselijkheid***

de ***bronchitis***

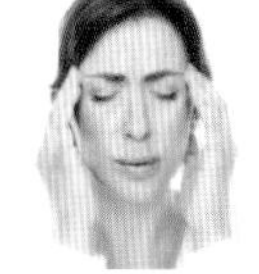

de ***hoofdpijn***

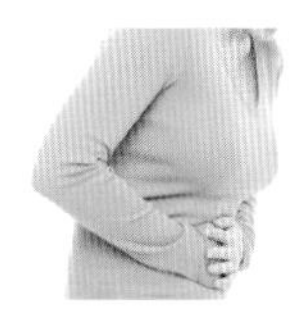

de ***maagpijn***

SYMPTOMEN EN AANDOENINGEN

ziek

gezond

de *neusverkoudheid*

de *hoest*

de *verkoudheid*

de *griep*

het *niezen*

de *koorts*

de *hooikoorts*

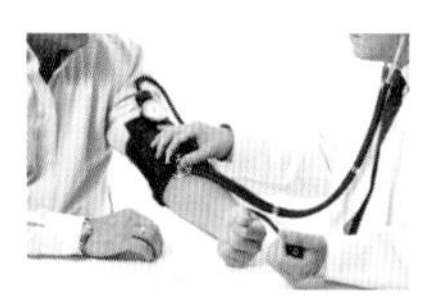

de *hoge/lage bloeddruk*

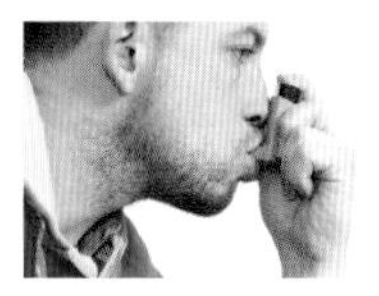

de *astma*

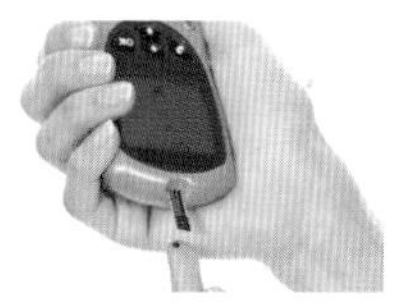

de *suikerziekte*

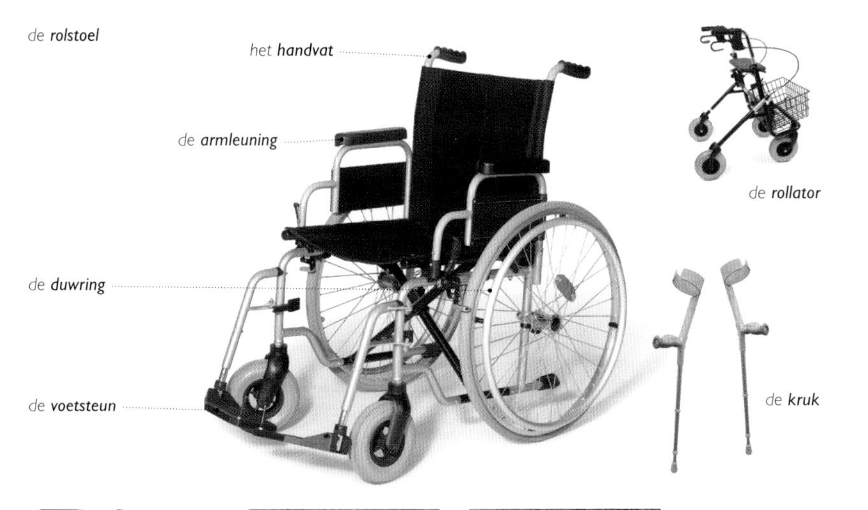

de **rolstoel**

het **handvat**

de **armleuning**

de **duwring**

de **voetsteun**

de **rollator**

de **kruk**

de **blindenstok**

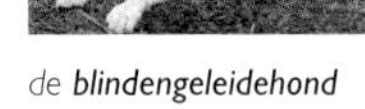

de **blindengeleidehond**

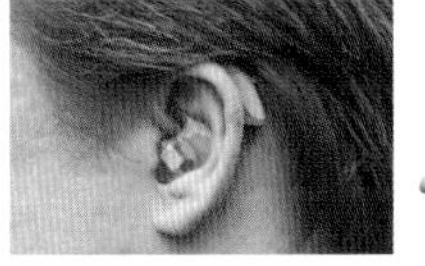

het **gehoorapparaat**

de **gebarentaal**

VERWONDINGEN

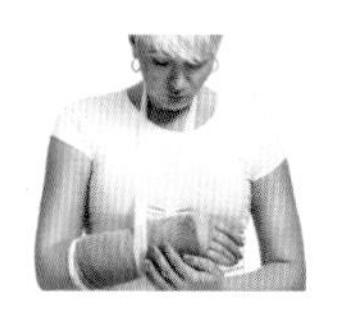
de *botbreuk*

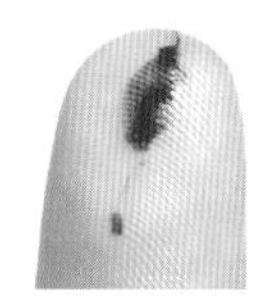
de *snijwond*

de *insectenbeet*

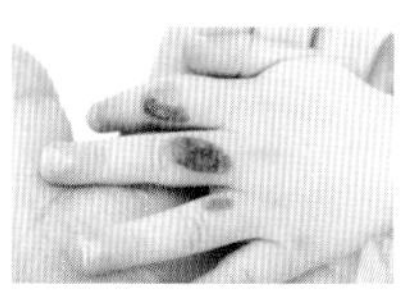
de *verbranding*

de *whiplash*

de *hernia*

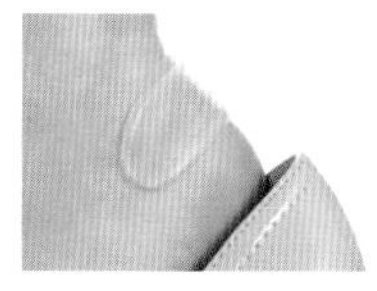
de *blaar*

flauwvallen

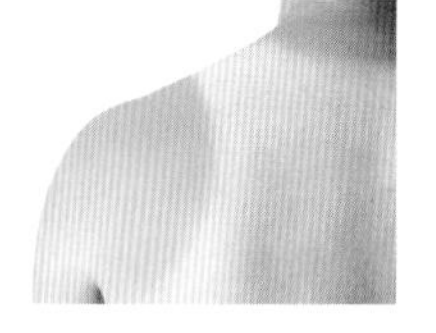
de *zonnebrand*

de *wond*

het *bloed*

bloeden

de *bloeding*

de *hersenschudding*

een arm/een wervel ontwrichten

zijn voet verstuiken/breken

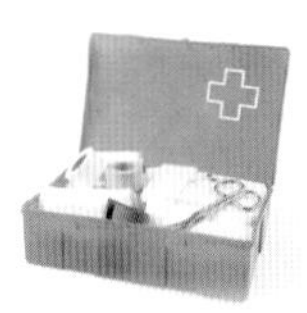

de *EHBO-trommel*

het *desinfectiemiddel*

het *steunverband*

het *verbandgaas*

DE APOTHEEK

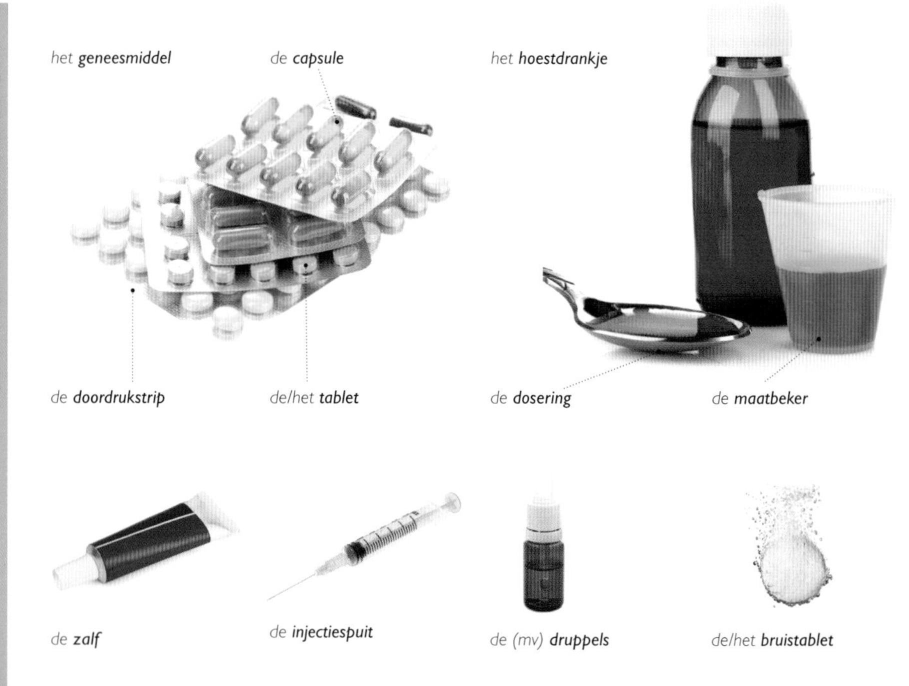
het **geneesmiddel**
de **capsule**
het **hoestdrankje**
de **doordrukstrip**
de/het **tablet**
de **dosering**
de **maatbeker**
de **zalf**
de **injectiespuit**
de (mv) **druppels**
de/het **bruistablet**

DE APOTHEEK

de *zonnebrandcrème*

het *vochtige doekje*

de *koortsthermometer*

de *hoestpastille*

het *inlegkruisje*

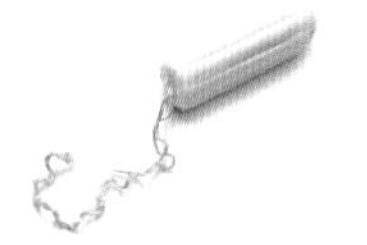

de *tampon*

het *oordopje*

de *deodorant*

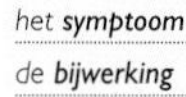

het *symptoom*
de *bijwerking*
de *bijsluiter*
de *huidverzorging*
de *pijnstiller*
het *kalmeermiddel*
de *slaappil*
de *houdbaarheidsdatum*

de *nagelvijl*

DE LICHAAMSVERZORGING

de ***tandpasta***

het ***parfum***

de ***gezichtscrème***

de ***kam***

de ***douchegel***

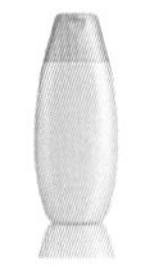

de ***shampoo***

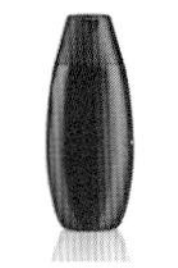

de ***crèmespoeling***

de ***zeep***

de ***haarborstel***

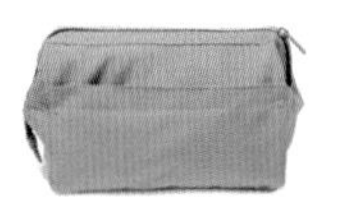

de ***toilettas***

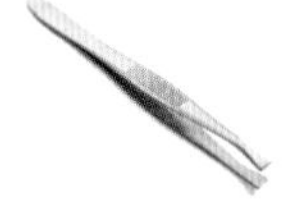

het/de ***pincet***

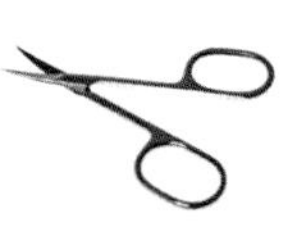

het ***nagelschaartje***

WERK EN COMMUNICATIE

HET BEROEPSLEVEN

het *sollicitatiegesprek*

de *sollicitante*

de *personeelsfunctionaris*

de (mv) *sollicitatiestukken*

het *cv*

de *personeelsadvertentie*

solliciteren naar een betrekking

de (mv) *arbeidsvoorwaarden*

de *ploegendienst*

de *deeltijdbaan*

de *voltijdbaan*

de *kwalificatie*

de *werkervaring*

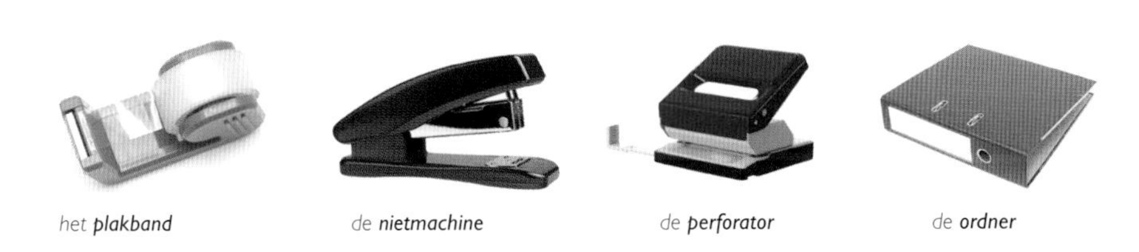

het plakband

de nietmachine

de perforator

de ordner

HET BEROEPSLEVEN

de *vergadering*

de *teamleider*

de *deelnemer*

de *agenda*

notuleren

de *vergadertafel*

de *presentatie*

de *beamer*

de *dia*

het *cirkeldiagram*

de *werkgever*

① de *assistente*

② de *collega*

③ de *werknemer*

④ de *collega*

⑤ de *manager*

⑥ de *baas*

de *vervanging*

het *aantal vakantiedagen*

het *salaris*

de *promotie*

iemand ontslaan

zijn baan opzeggen

verdienen

met pensioen gaan

ontslagen worden

DE COMPUTER

de desktopcomputer
de aan-uitknop
de usb-poort
het cd/dvd-station
het toetsenbord
het beeldscherm
de muis
het scrollwieltje
de laptop
de voedingskabel
de webcam
de luidspreker

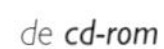
de *cd-rom*

de *usb-stick*

de *scanner*

de *inkjetprinter*

de *laserprinter*

de *inktpatroon*

de *tonerpatroon*

de *muismat*

invoeren
een bestand verplaatsen
een backup maken
selecteren
inloggen
uitloggen
de *herstart*
de *(mv) bytes*

typen

DE COMPUTER

klikken

scrollen

knippen

kopiëren

plakken

een bestand printen

opslaan

een bestand openen

wissen

de *map*

de *prullenmand*

zoeken

ongedaan maken

herstellen

de *(mv)* ***instellingen***

het ***lettertype***

de computer opstarten

de computer afsluiten

de ***cursor***

de ***zandloper***

het ***bestand***

het ***programma***

de ***schuifbalk***

een programma installeren

een programma de-installeren

het ***besturingssysteem***

de ***taakbalk***

de ***voortgangsbalk***

de ***foutmelding***

HET INTERNET

de *wifi*

de ***browser***

de ***download***

het ***bericht***

de (mv) ***sociale media***

de ***versleuteling***

het ***e-mailadres***

de ***bijlage***

een mail doorsturen

verzenden
ontvangen
de/het ***account***
het ***postvak in***
het ***postvak uit***
het ***afwezigheidsbericht***
de ***spam***
op internet surfen

de ***router***

de ***tablet***

de ***simkaart***

de ***app***

de ***mobiele telefoon***

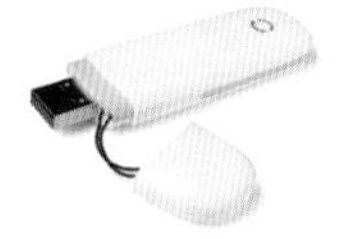
de ***dongel***

de ***sms***

de ***smartphone***

het ***touchscreen***

het ***geheugen***

de ***software***

de ***dode zone***

de ***flatrate***

de ***prepaidkaart***

het ***tegoed***

de ***ringtone***

de ***batterij***

DE TELEFOON

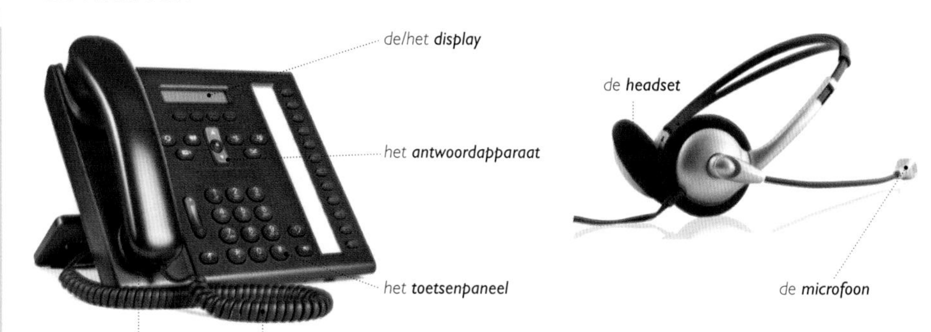

het *faxapparaat*

iemand bellen

kiezen

overgaan

Ik wil graag spreken met …

Sorry, verkeerd verbonden.

Ik verbind u door.

U kunt een boodschap inspreken na de pieptoon.

Kunt u mij terugbellen?

DE POST

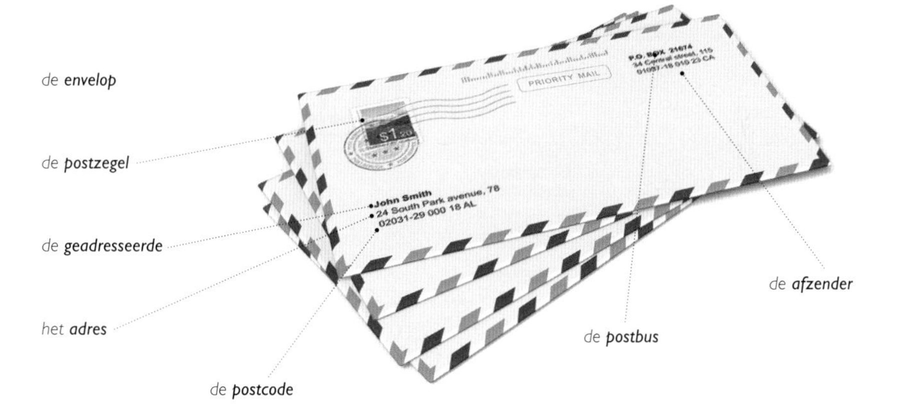

de *brief*

de *spoedbrief*

portvrij

een brief krijgen

een brief beantwoorden

iemand een brief sturen

de *aangetekende brief*

de *brievenbus*

DE POST

het *pakje*

per luchtpost

de *porto*

deze kant boven

breekbaar

droog houden

het *pakket*

bezorgen

de *lichtingstijden*

geen verzendingskosten

het *gewicht*

de *weegschaal*

de *brievenbus*

de *postwissel*

Niet vouwen!

KLEDING

BABYSPULLEN

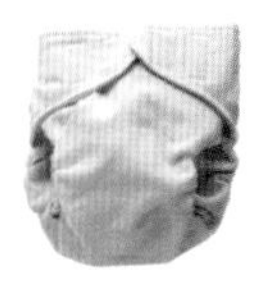

de **katoenen luier**

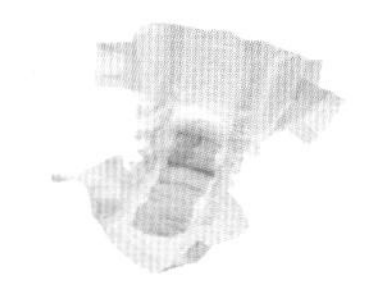

de **wegwerpluier**

het **winterpakje**

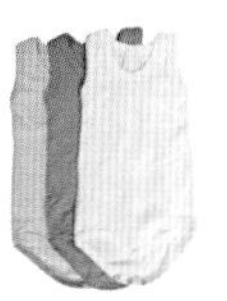

het **rompertje**

het **babywantje**

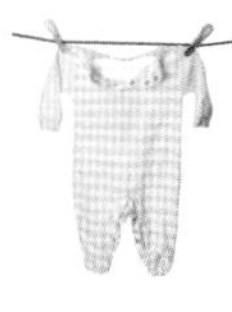

het **kruippakje**

het **mutsje**
het **babyslofje**

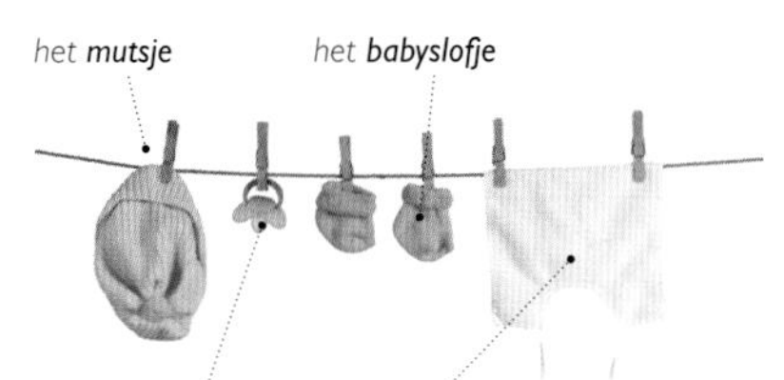

de **fopspeen**
het **slabbetje**

het **zonnehoedje**

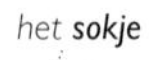

het **sokje**

de **babydeken**

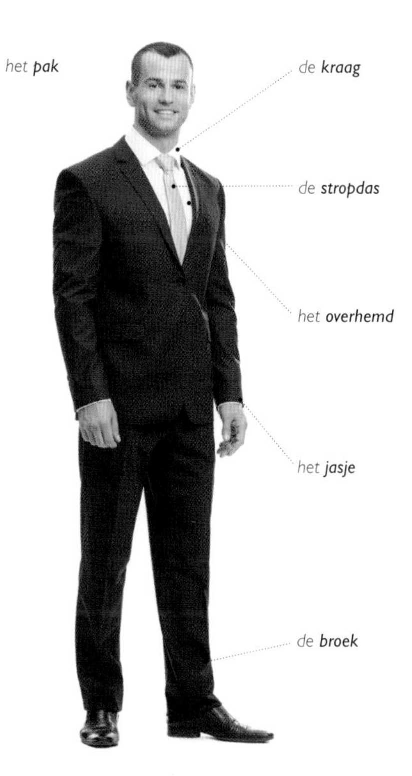

het **T-shirt**

het **poloshirt**

de **coltrui**

de **korte broek**

de **onderbroek**

de **zwembroek**

DAMESKLEDING

de jurk

het mouwloos hemdje

de bloes

het vest

de rok

de damesshort

de *maillot*

de *legging*

de *beha*

het *badpak*

de *slip*

de *sok*

de *bril*

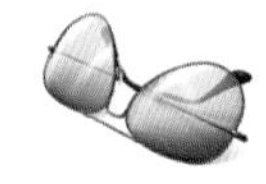

de *zonnebril*

de *ritssluiting*

het *klittenband*

de *weekendtas*

de *koffer*

Mag ik deze passen?

Heeft u ook een maat groter/kleiner?

Deze past goed, ik neem hem.

de *knoop*

de *rugzak*

SCHOENEN EN LEDERWAREN

de *sandaal*

de *rubberlaars*

de *teenslipper*

de *hoge laars*

de *gymschoen*

de *riem*

de *veterschoen*

de *wandelschoen*

de *trekkingsandaal*

de *schoenveter*
de *riemlus*
de *sleehak*
de *hak*
de *zool*
het *bandje*
de *gesp*

NOODDIENSTEN

EERSTE HULP

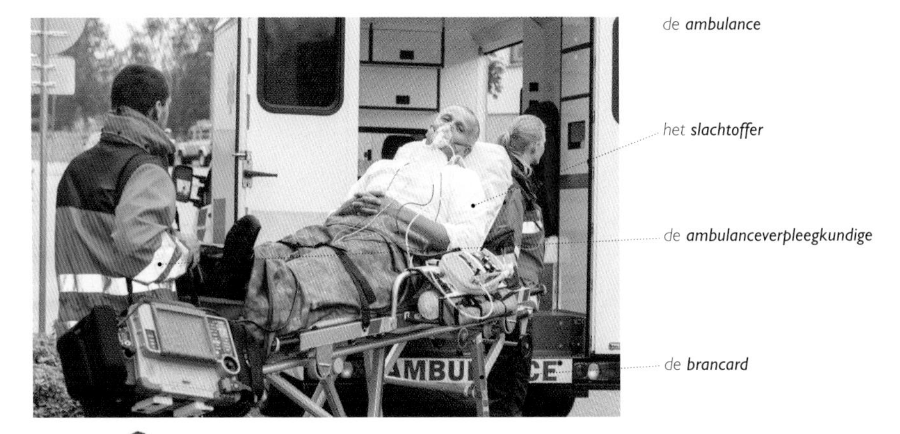

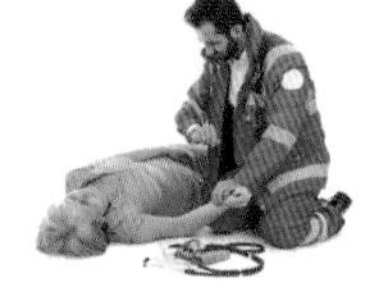

het **polsmeten**

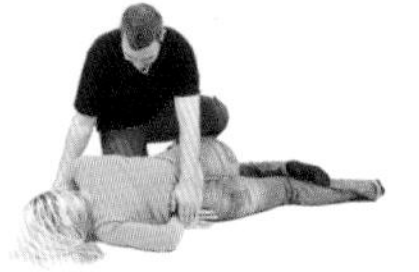

de **stabiele zijligging**

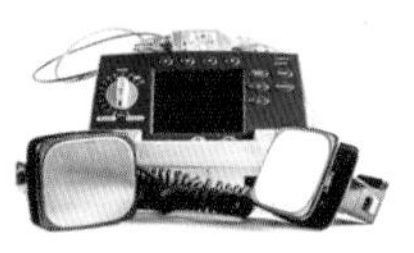

de **defibrillator**

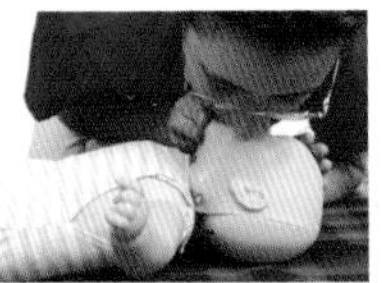

de **mond-op-mond-beademing**

DE POLITIE

de *politieagente*

de *politieagent*

de *politieauto*

de *inbraak*

de *diefstal*

het *geweld*

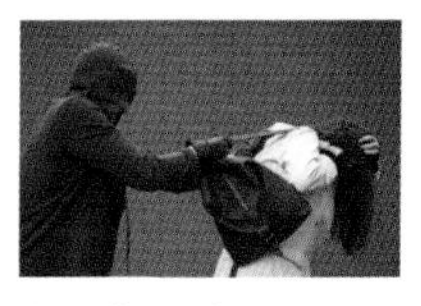

de *roofoverval*

het *delict*

het *lichamelijk letsel*

de *verkrachting*

de *moord*

de *overval*

vluchten

lastigvallen

de *schuld*

het *zakkenrollen*

DE BRANDWEER

de *nooduitgang*

de *brandweerman*

de *brandblusser*

de *brandkraan*

de *verzamelplaats*

de *rookmelder*

het *zwemvest*

de *reddingsband*

het *alarmnummer*

de *vermiste persoon*

het *zoekteam*

het *gevaar*

Help!

Er is een ongeluk gebeurd!

Bel een ziekenwagen!

Bel de politie!

Bel de brandweer!

GELD, GETALLEN EN TIJD

DE BANK

het *pinapparaat*

de *bankpas*

het *toetsenbord*

de *balie*

de *caissière*

het *internetbankieren*

rood staan

de *betaalrekening*

de *spaarrekening*

de *pincode*

het *rentetarief*

de *lening*

de *hypotheek*

het *rekeningnummer*

het **bankbiljet**

de **munt**

de **valuta**

de **creditcard**

de **geldautomaat**

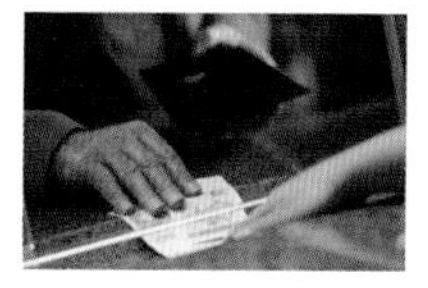

geld storten

geld opnemen

de **rekening**

Kan ik dit wisselen?

Wat is de huidige wisselkoers?

Ik wil graag een rekening openen.

het **bedrag**

de **provisie**

het **wisselkantoor**

het **overschrijvingsformulier**

DE GETALLEN

nul

een

twee

drie

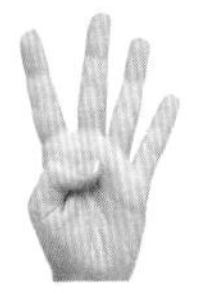

vier

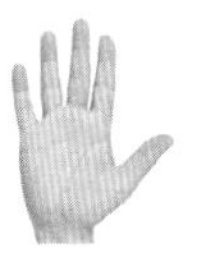

vijf

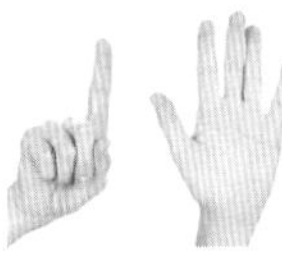

zes

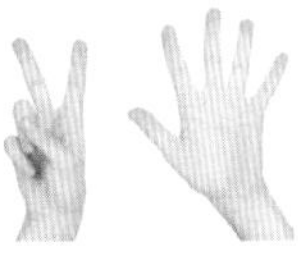

zeven

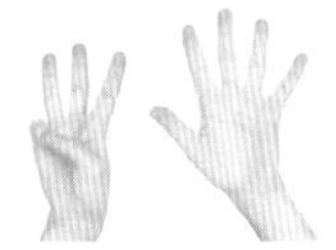

acht

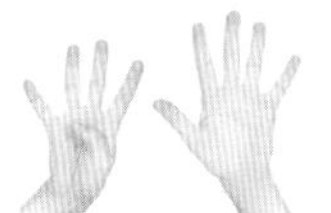

negen

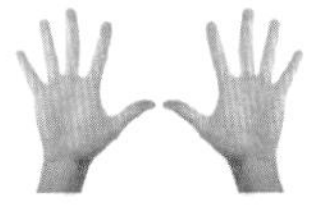

tien

elf

twaalf

dertien

veertien

vijftien

zestien

zeventien

achttien

negentien

twintig

eenentwintig

tweeëntwintig

drieëntwintig

dertig

veertig

vijftig

zestig

zeventig

tachtig

negentig

honderd

tweehonderdtweeëntwintig

duizend

tienduizend

twintigduizend

vijftigduizend

vijfenvijftigduizend

honderdduizend

een miljoen

een miljard

een biljoen

DE GETALLEN

eerste

tweede

derde

vierde

vijfde

zesde

zevende

achtste

negende

tiende

elfde

twaalfde

dertiende

veertiende

vijftiende

zestiende

zeventiende

achttiende

negentiende

twintigste

eenentwintigste

tweeëntwintigste

dertigste

veertigste

vijftigste

zestigste

zeventigste

tachtigste

negentigste

honderdste

tweehonderdste

tweehonderdvijfentwintigste

driehonderdste

duizendste

tienduizendste

miljoenste

tienmiljoenste

een-na-laatste

laatste

DE GETALLEN

een half

een derde

een kwart

een vijfde

een achtste

drie vierde

twee vijfde

zeven en een half

twee zeventiende

vijf en drie achtste

eenmaal

tweemaal

driemaal

viermaal

meermaals

soms

nooit

enkel

dubbel

drievoudig

viervoudig

vijfvoudig

zesvoudig

veelvoudig

een paar

een paar

weinig

sommige

veel

beide

alle

ieder

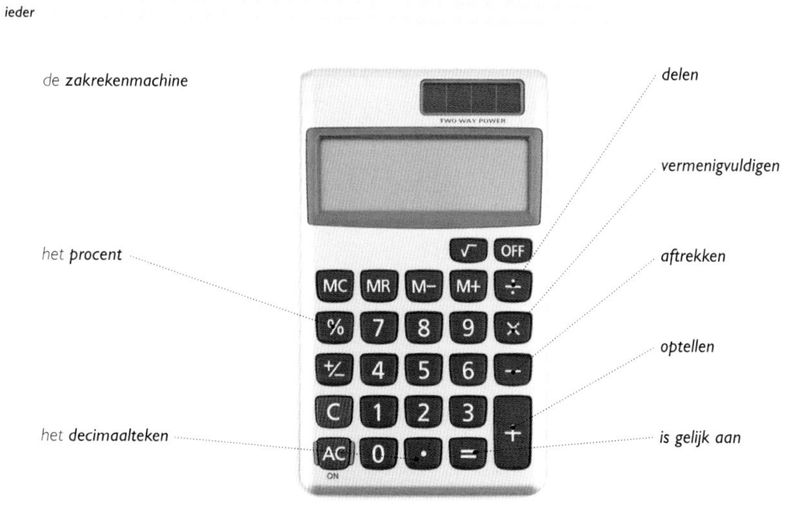

DE TIJD

een uur ('s nachts)

twee uur ('s nachts)

drie uur ('s nachts)

vier uur ('s morgens)

vijf uur ('s morgens)

zes uur ('s morgens)

zeven uur ('s morgens)

acht uur ('s morgens)

twaalf uur ('s middags)

het ***uur***

de ***minuut***

het ***half uur***

de ***seconde***

Hoe laat is het?

Het is twee uur.

Hoe laat?

Om zeven uur.

een uur ('s middags)

twee uur ('s middags)

drie uur ('s middags)

vier uur ('s middags)

vijf uur ('s middags)

elf uur ('s avonds)

middernacht

vijf over twaalf

half elf

kwart voor twaalf

Wanneer?

Tien minuten geleden/over tien minuten.

Rond het middaguur.

Sinds wanneer?

Sinds gisteren.

kwart over negen

DE TIJD

middernacht

de ***morgen***

het ***middaguur***

de ***middag***

de ***avond***

de ***lente***

de ***zomer***

de ***herfst***

de ***winter***

vandaag

morgen

overmorgen

gisteren

eergisteren

Wat is het voor datum vandaag?

9 september 2017

de ***feestdag***

de zondag
de dinsdag
de donderdag
de maand
de maandag
de woensdag
de vrijdag
de zaterdag
June
2017
SUNDAY
MONDAY
TUESDAY
WEDNESDAY
THURSDAY
FRIDAY
SATURDAY
de datum
de weekdag
de week
de dag
2017
het weekend
het jaar

MATEN

de *pint*

de *liter*

de *milliliter*

de *ons/ounce*

de/het *gram*

de/het *kilogram*

de *mijl*

de *kilometer*

de *meter*

de *vierkante meter*

de *millimeter*

de *centimeter*

de *duim*

NEDERLANDS REGISTER

NEDERLANDS REGISTER

I

J

K

L

M

N

O

P

R

S

BEELDVERANTWOORDING

*= © Fotolia.com

9 istockphoto/andresr, **10** */Alexander Raths, **10** */Jeanette Dietl, **10** */Forgiss, **10** */paulmz, **10** */fotodesign-jegg.de, **10** */mimagephotos, **10** */Syda Productions, **10** */iko, **10** */Jeanette Dietl, **10** */drubig-photo, **10** */oocoskun, **11** */damato, **11** */vbaleha, **11** */Rido, **11** */Ljupco Smokovski, **11** */Jeanette Dietl, **11** */Janina Dierks, **11** */Valua Vitaly, **11** */Rido, **11** */Andres Rodriguez, **11** */Syda Productions, **11** */Valua Vitaly, **12** */Dmitry Lobanov, **12** */Samuel Borges, **12** */DenisNata, **12** */Pavel Losevsky, **12** */WONG SZE FEI, **12** */vgstudio, **12** */Ariwasabi, **13** */Gabriel Blaj, **13** */endostock, **13** */mma23, **13** */Jasmin Merdan, **13** */Tom Wang, **13** */JanMika, **13** */Picture-Factory, **14** */BeTa-Artworks, **14** */michaeljung, **14** */Savannah1969, **14** */patpitchaya, **14** */Sabphoto, **14** */Cello Armstrong, **14** */eyetronic, **14** */Danilo Rizzuti, **14** */Ruth Black, **15** istockphoto/tab1962, **16** */JSB, **16** */Tiberius Gracchus, **16** */visivasnc, **16** */Lasse Kristensen, **16** */Speedfighter, **16** */Bokicbo, **16** */typomaniac, **16** */O.M., **16** */designsstock, **17** */Kurhan, **17** */Brilliant Eagle, **17** */Iriana Shiyan, **17** */terex, **17** */Sashkin, **17** */pyzata, **17** */Igor Kovalchuk, **17** */Maksym Yemelyanov, **17** */pabijan, **18** */Magda Fischer, **19** */Bert Folsom, **19** */Aleksandar Jocic, **19** */yevgenromanenko, **19** */Aleksandr Ugorenkov, **19** */luchshen, **19** */sokrub, **19** */sokrub, **19** */okinawakasawa, **19** */Delphimages, **19** */arteferretto, **19** */Kitch Bain, **19** */Chris Brignell, **20** */Iriana Shiyan, **21** */pics721, **22** */stock_for_free, **23** */mrgarry, **23** */mariocigic, **23** Thinkstock/Hemera, **23** */Denis Gladkiy, **23** */Sergii Moscaliuk, **23** */okinawakasawa, **23** */Alexander Morozov, **23** */kmiragaya, **23** */Alexander Morozov, **23** */Nikola Bilic, **23** */Alona Dudaieva, **23** */Piotr Pawinski, **24** */Kitch Bain, **24** */pholien, **24** */cretolamna, **24** */Harald Biebel, **24** */M.R. Swadzba, **24** */IrisArt, **24** */cretolamna, **24** */picsfive, **24** */Schwoab, **24** */cretolamna, **24** */Stefan Balk, **24** */karandaev, **25** */2mmedia, **26** */simmittorok, **26** */Liliia Rudchenko, **26** */venusangel, **26** */Ljupco Smokovski, **26** */Maksim Kostenko, **26** Thinkstock/Stockbyte, **26** */Xuejun li, **26** */Ljupco Smokovski, **26** */Coprid, **26** */Yingko, **26** Thinkstock/NikolayK, **26** */srdjan111, **27** */adpePhoto, **27** */Africa Studio, **27** */Tiler84, **27** */NilsZ, **27** */Coprid, **28** */Sashkin, **28** */Creatix, **28** */Katrina Brown, **28** */Ljupco Smokovski, **29** */Okea, **30** */kmit, **30** */claudio, **30** */tuja66, **30** */corund, **30** */mick20, **30** */Denis Dryashkin, **30** */tuja66, **30** */CE Photography, **30** */tuja66, **30** */Бурдюков Андрей, **30** */vav63, **31** */Rynio Productions, **31** */Rynio Productions, **31** */scis65, **31** */Coprid, **31** */f9photos, **31** */Freer, **32** */Africa Studio, **32** */ankiro, **32** */Ionescu Bogdan, **32** */Denys Rudyi, **32** */tuja66, **33** */Nomad_Soul, **33** */twister025, **33** */egorovvasily, **33** */womue, **33** Thinkstock/iStockphoto, **33** Thinkstock/iStockphoto, **33** */by-studio, **33** */cherezoff, **34** */Zbyszek Nowak, **34** */opasstudio, **34** */photka, **34** */photka, **34** */Gerald Bernard, **34** */steamroller, **34** */Kasia Bialasiewicz, **34** */mopsgrafik, **34** */fotoschab, **35** istockphoto/JLFCapture, **36** Thinkstock/Keith Levit Photography, **36** Thinkstock/iStockphoto, **36** Thinkstock/iStockphoto, **36** Thinkstock/iStockphoto, **36** Thinkstock/iStockphoto, **37** Thinkstock/Fuse, **37** */Alexandra GI, **38** */leremy, **38** */leremy, **38** */leremy, **38** */leremy, **38** */leremy, **38** */mrtimmi, **38** */mrtimmi, **38** */mrtimmi, **38** */Bobo, **38** */leremy, **38** */leremy, **38** */FelixCHH, **39** */Vladimir Kramin, **40** */algre, **41** Thinkstock/iStockphoto, **41** */Michael Seidel, **42** Thinkstock/iStockphoto, **42** */Lasse Kristensen, **43** Thinkstock/Stockbyte, **44** Thinkstock/iStockphoto, **44** Thinkstock/iStockphoto, **44** Thinkstock/iStockphoto, **44** Thinkstock/iStockphoto, **44** */Bikeworldtravel, **45** Thinkstock/iStockphoto, **45** Thinkstock/iStockphoto, **46** */Fotito, **46** */tr3gi, **47** istockphoto/monticelllo, **48** */unpict, **48** */Teamarbeit, **48** Dreamstime/Christian Jung, **48** */ExQuisine, **48** */Rémy MASSEGLIA, **48** */lunamarina, **48** */Witold Krasowski, **48** */Dionisvera, **48** */angorius, **48** */Dani Vincek, **48** */felinda, **48** */pedrolieb, **49** */ExQuisine, **49** */volff, **49** Shutterstock/shutterstock.com/Multiart, **50** */valeriy555, **50** */valeriy555, **50** */Barbara Pheby, **50** */volga1971, **50** Dreamstime/Robynmac - Dreamstime.com, **50** */Anna Kucherova, **51** */jerome signoret, **51** */boguslaw, **51** */World travel images, **51** */margo555, **51** */Wolfgang Jargstorff, **52** */valeriy555, **52** */silencefoto, **52** */valeriy555, **52** */valeriy555, **52** */photocrew, **52** */valeriy555, **52** */valeriy555, **52** */Zbyszek Nowak, **52** */Andrey Starostin, **53** */azureus70, **53** */valeriy555, **53** */valeriy555, **53** */valeriy555, **53** */valeriy555, **53** */valeriy555, **53** */valeriy555, **53** */valeriy555, **53** */valeriy555, **54** */valeriy555, **54** Dreamstime/Skyper1975, **54** */Werner Fellner, **54** */marilyn barbone, **55** Dreamstime/Sergioz, **55** */Africa Studio, **55** */Inga Nielsen, **55** */Inga Nielsen, **55** */Inga Nielsen, **55** */Boris Ryzhkov, **56** Dreamstime/Jirkaejc, **56** */Sergejs Rahunoks, **56** Dreamstime/Givaga, **56** */the_pixel, **56** */Liaurinko, **56** */midosemsem, **56** */Jiri Hera, **56** */juri semjonow, **56** */Brad Pict, **56** */Julian Weber, **56** */0legich, **56** */komar.maria, **57** */Jiri Hera, **57** */Nitr, **57** */Nitr, **57** */pabijan, **57** */Fotofermer, **57** */gtranquillity, **57** */gtranquillity, **57** */Nitr, **57** */Taffi - Fotolia.cfom, **57** */Taffi, **58** */Jiri Hera, **58** */Liaurinko, **58** */Dmytro Sukharevskyy, **58** */Dmytro Sukharevskyy, **58** */Dmytro Sukharevskyy, **58** */uckyo, **58** */torsakarin, **58** */Thibault Renard, **58** */Dmytro Sukharevskyy, **59** */Jack Jelly, **59** */aktifreklam, **59** */Jacek Chabraszewski, **59** iStockphoto/Gordana Sermek, **59** */Africa Studio, **60** */ashka2000, **60** */womue, **60** */reineg, **60** */reineg, **60** */reineg, **60** */reineg, **60** */Subbotina Anna, **60** */rangizzz, **60** */sjhuls, **61** */Minerva Studio, **61** */eyetronic, **61** */AlienCat, **61** */Thomas Francois, **61** */ag visuell, **62** */Art Allianz, **62** */adisa, **62** */Pumba, **62** */adisa,

62 */Vitaly Maksimchuk, **62** Thinkstock/iStockphoto, **62** */amlet, **62** Thinkstock/Brand X Pictures, **62** */Joshhh, **62** */808isgreat, **62** Thinkstock/iStockphoto, **62** */Andres Rodriguez, **63** thinkstock/zf, **64** */CLIPAREA.com, **65***/CLIPAREA.com, **66** Thinkstock/Zoonar, **66** Thinkstock/Hemera @ Getty Images, **67** */Valua Vitaly, **68** */pixelcaos, **69** */Lsantilli, **69** */Sven Bähren, **69** */Tyler Olson, **69** */GordonGrand, **69** */iStockphoto,
69 Thinkstock/oksun70, **69** */Robert Angermayr, **70** */Alexander Raths, **70** */Creativa, **70** */ISO K° - photography, **70** */Sashkin, **71** */Monkey Business, **71** */dalaprod, **71** */drubig-photo, **71** */drubig-photo, **72** */Africa Studio, **72** */iko, **72** */DoraZett, **72** */Creativa, **72** */Gina Sanders,
72 */Subbotina Anna, **72** */drubig-photo, **72** */Ocskay Bence, **72** */detailblick, **72** */Kurhan, **72** */smikeymikey1, **72** */Dmitry Lobanov,
73 Thinkstock/iStockphoto, **73** */Guido Grochowski, **73** */Dmitry Vereshchagin, **73** */treetstreet, **73** */Peter Atkins, **73** */Bandika, **73** */wckiw,
74 */Igor Mojzes, **74** */st-fotograf, **74** */Vidady, **74** Thinkstock/iStockphoto, **74** Thinkstock/iStockphoto, **74** */Gelpi, **74** */Volker Witt, **74** */apops, **74** */juefraphoto, **75** */ Michael Schütze, **75** */brozova, **75** */Rodja, **75** Thinkstock/iStockphoto, **75** */cristi180884, **76** */Africa Studio, **76** */Africa Studio, **76** */Coprid, **76** */Anatoly Repin, **76** */ adisa, **76** */Manuel Schäfer, **77** */seen, **77** */only4denn, **77** */Coprid, **77** */blondina93, **77** */by-studio, **77** */Jiri Hera, **77** */Johanna Goodyear, **77** */Tharakorn, **77** */terex, **78** */wiedzma, **78** */kontur-vid, **78** */picsfive, **78** */pattarastock, **78** */NilsZ,
78 */picsfive, **78** */picsfive, **78** */ksena32, **78** */cristi180884, **78** */nito, **78** */Tarzhanova, **78** */bpstocks, **79** istockphoto/pixdeluxe,
80 */contrastwerkstatt, **80** */A_Bruno, **81** */Africa Studio, **81** */Diana Taliun, **81** */Rulan, **81** */interklicks, **81** Thinkstock/iStockphoto, **82** */Picture-Factory, **82** */Carlos Caetano, **82** */vda_82, **82** */vetkit, **82** */Jacek Fulawka, **83** */Viorel Sima, **83** */Brian Jackson, **84** */TAlex, **84** */Maksym Yemelyanov, **84** */Vitas, **84** Thinkstock/iStockphoto, **84** */Artur Synenko, **85** */dimakp, **85** */heigri, **85** */Lusoimages, **85** */Apart Foto, **85** */sonne fleckl, **85** */Manuela Fiebig, **85** */Klaus Eppele, **85** */Artur Synenko, **85** */ Gina Sanders, **86** */snyfer, **86** */snyfer, **86** */Iurii Timashov, **86** */Iurii Timashov, **86** */Iurii Timashov, **86** */Iurii Timashov, **86** */Iurii Timashov, **86** */Iurii Timashov, **86** */ WonderfulPixel, **86** */Iurii Timashov, **86** */Iurii Timashov, **86** */Iurii Timashov, **87** */WonderfulPixel, **87** */WonderfulPixel, **87** */WonderfulPixel, **87** */WonderfulPixel, **87** */ vasabii, **87** */grgroup,
87 */vector_master, **87** */Vectorhouses, **87** */Vectorhouses, **88** */Metin Tolun, **88** */Do Ra, **88** */Do Ra, **88** */Do Ra, **88** */Do Ra, **88** */Do Ra,
88 */Palsur, **88** */marog-pixcells, **88** */Palsur, **89** */inal09, **89** */mtkang, **89** */by-studio, **89** */Scanrail, **89** */RTimages, **89** */Coprid, **89** */Palsur, **89** */Andrew Barker, **90** */ ashumskiy, **90** */Vitas, **90** */singkham, **91** */Scanrail, **91** */Dron, **92** Thinkstock/iStockphoto, **92** */gradt, **92** */JiSIGN,
92 */JiSIGN, **92** */JiSIGN, **93** istockphoto/kgtoh, **94** */boumenjapet, **94** */Vera Anistratenko, **94** */carol_anne, **94** */Andrey Armyagov, **94** */Pamela Uyttendaele, **94** */ Zbyszek Nowak, **94** */Michaela Pucher, **94** */Katrina Brown, **95** */Karramba Production, **95** */BEAUTYofLIFE, **95** */Khvost,
95 */Khvost, **95** */Elnur, **95** */Gordana Sermek, **95** */Alexandra Karamyshev, **96** */mimagephotos, **96** */Alexandra Karamyshev, **96** */ludmilafoto, **96** */okinawakasawa, **96** Thinkstock/Alexandru Chiriac, **96** */cedrov, **96** */Khvost, **97** */Elnur, **97** */Elnur, **97** */Ruslan Kudrin, **97** */Alexandra Karamyshev, **97** */Robert Lehmann, **97** */Liaurinko, **97** */rangizzz, **97** */Jiri Hera, **97** */Andrew Buckin, **98** */adisa, **98** */PRILL Mediendesign,
98 */Africa Studio, **98** */adisa, **98** */humbak, **98** */Jiri Hera, **98** */Andre Plath, **98** */Alexander Raths, **98** */thaikrit, **99** istockphoto/roibu,
100 */CandyBox Images, **100** */Roman Milert, **100** */Volker Witt, **100** */AK-DigiArt, **100** */Dario Lo Presti, **101** Thinkstock/Photodisc, **101** */Lukas Sembera, **101** */ koszivu, **101** */Photographee.eu, **101** */Monkey Business, **101** */Photographee.eu, **101** */Gerhard Seybert, **102** */PictureArt,
102 */Arcady, **102** */playstuff, **102** */beermedia, **102** */Igor Kovalchuk, **102** */Fiedels, **102** */Birgit Reitz-Hofmann, **102** */Claudio Divizia, **102** */Kalle Kolodziej, **103** istockphoto/RBFried, **104** */qech, **104** */contrastwerkstatt, **104** */Santiago Cornejo, **105** */eyewave, **105** */jogyx, **105** */Joop Hoek, **105** */T. Michel, **105** Thinkstock/ iStockphoto, **105** Thinkstock/photodisc (Keith Brofsky), **105** */LVDESIGN, **105** */lowtech24, **105** Thinkstock/iStockphoto, **106** */DDRockstar, **106** */Denys Prykhodov, **106** */Denys Prykhodov, **106** */Denys Prykhodov, **106** */Denys Prykhodov, **106** */Denys Prykhodov, **106** */Denys Prykhodov, **106** */Africa Studio, **106** */Africa Studio, **106** */Africa Studio, **106** */DB, **111** */robert, **112** */magann,
112 */magann, **112** */magann, **112** */magann, **112** */magann, **112** */magann, **112** */magann, **112** */magann, **112** */magann, **113** */magann,
113 */magann, **113** */magann, **113** */magann, **113** */magann, **113** */magann, **113** */magann, **113** */vvoe, **113** */Lucky Dragon, **114** */tomreichner,
114 */in-foto-backgrounds, **114** */Reicher, **114** */ARochau, **114** */Beboy, **114** */Dmytro Smaglov, **114** */Anton Gvozdikov, **114** */sborisov, **114** */Netzer Johannes, **115** */ Maria Vazquez, **116** */m.u.ozmen, **116** */hayo, **116** */lucato, **116** */www.strubhamburg.de.

NOTITIES

Volg Van Dale op de sociale media

Volg Van Dale op Facebook, Twitter en Instagram, en deel je taalverhalen met ons!

Speciaal voor op reis!

Van Dale Beeldwoordenboeken op reis zijn verkrijgbaar in **tien talen**:
Nederlands, Engels, Frans, Duits, Spaans, Italiaans, Portugees, Arabisch, Turks en Russisch.

Overal en altijd een woordenboek bij de hand!

Van Dale-woordenboeken zijn ook verkrijgbaar als **app** voor iOS en Android, in diverse talen. Van de *Van Dale Pocketwoordenboeken* tot de *Dikke Van Dale*!

- Geen internetverbinding nodig
- Snel en eenvoudig in gebruik
- Uitgebreide zoekmogelijkheden
- Met uitspraak en woordentrainer

Voor in de vakantiekoffer …

Wist je dat Van Dale ook non-fictieboeken over **taal** en **taalweetjes** uitgeeft? Leuk én leerzaam!

Milfje Meulskens
Opzienbarende ontdekkingen over taal

Bloggers en taalwetenschappers Sterre Leufkens en Marten van der Meulen selecteren de meest opvallende ontdekkingen uit de taalwetenschap – wereldwijd!

Ook als **e-book** verkrijgbaar.

www.vandale.nl
www.vandale.be

Van Dale Taaltrainingen

Wil je je Nederlandse of Engelse schriftelijke en mondelinge taal- en communicatievaardigheden opfrissen of verder ontwikkelen? Bij *Van Dale Taaltrainingen* ben je aan het juiste adres.
De *Van Dale Taaltrainingen* worden gegeven op diverse cursuslocaties in Nederland.

Kijk voor meer informatie en aanmelding op:
www.vandale.nl/taaltrainingen

Van Dale Taalsnacks

Van Dale Taalsnacks is een slimme trainingstool waarmee je in 15 weken de belangrijkste spellingregels van het Nederlands onder de knie krijgt.

Kijk voor meer informatie op:
www.vandale.nl/taalsnacks

Van Dale Beeldwoordenboek op reis – Nederlands

Eerste editie, eerste oplage 2016

ISBN 978 94 6077 338 9

Redactionele en vertaalbijdragen: Hans de Groot, Hans Beelen
Vormgeving: Petra Michel
Zetwerk: Jacqueline Bronsema (Stampwerk)
Omslagontwerp: Villa Grafica

info@vandale.nl
www.vandale.nl/www.vandale.be